台湾ローカル文化と中華文化

氷上正・山下一夫・千田大介・吉川龍生

本書は、日本学術振興会科学研究費補助金「近現代中華圏の伝統芸能と地域社会～台湾の皮影戯・京劇・説唱を中心に」（平成27～30年度、基盤研究(B)、課題番号：15H03195、研究代表者：氷上正）、および、平成30年度慶應義塾学事振興資金「台湾の伝統芸能・民俗文化およびその対外発信に関する共同研究」（部門横断型共同研究）による成果の一部である。

はじめに

中華圏の伝統文化は、社会主義化および文化大革命によって一時期否定される傾向にあった中国よりも、むしろ台湾にきちんと保存されているという側面があります。しかし同時に、台湾においても伝統文化は日本統治時代・中華民国統治時代にその形態を不断に変えても来ました。そのため台湾の伝統文化を考える場合には、中国と切り離されることによって成立した独自の文化と、中華圏全体の中でのローカル文化という、両方の視点が必要となります。

このブックレットは、このような問題意識のもと、台湾の人形劇や映画についての分野横断的研究成果を、一般の人々に分かりやすい形で提供することを目的としたものです。台湾の文化については、従来さまざまな関連本が出版されていますが、このブックレットによって、これまでにない新たな視点による研究の必要性を知って頂ければ幸甚です。

氷上　正

目次

台湾の人形劇――野外上演から『東離劍遊紀』まで

山下　一夫（やました・かずお）

一　はじめに

二〇一六年に、日台合作のテレビ人形劇『Thunderbolt Fantasy　東離劍遊紀』が日本で放送されました。▼1 美少女・丹翡《たんひ》の持つ秘密兵器「天刑剣《てんけいけん》」をめぐって、凜雪鴉《りんせつあ》や殤不患《しょうふかん》ら多数の武侠が登場し、蔑天骸《べつてんがい》率いる玄鬼宗《げんきしゅう》と虚々実々の戦いを繰り広げるというもので、原案・脚本は『Fate/Zero』・『魔法少女まどか☆マギカ』で有名な日本の虚淵玄《うろぶちげん》、制作は台湾の霹靂国際多媒体股份有限公司（以下、霹靂《へきれき》公司と略）です。

作品は幸い好評をもって迎えられ、二〇一七年冬には劇場版『Thunderbolt Fantasy　生死一劍』が公開となり、さらに二〇一八年十月からテレビシリーズ第二期『Thunderbolt Fantasy　東離劍遊紀2』が放送されています。台湾で制作された番組が日本で人気となるのは、キョンシー・ブームを巻き起こし

▼1　二〇一六年七月―一〇月、ＴＯＫＩＯ　ＭＸなどで放送、全十三話。

▼『Thunderbolt Fantasy　東離劍遊紀』ＢＤパッケージ

た一九八八年の『来来！キョンシーズ』以来のことでしょう。▼2

後述するように、台湾でテレビ人形劇は大変な人気があり、今や「国」を代表するサブカルチャーとなっていますが、日本ではなかなか受け入れられませんでした。二〇〇二年に、やはり霹靂公司が制作した人形劇映画『聖石傳説』を、バンダイが配給元になって日本公開をしたことがありました。▼3 この作品は、秘宝・天問石《てんもんせき》をめぐって、素還真《そかんしん》という武侠が仲間とともに異星人の非善類《ひぜんるい》と戦うという話で、台湾では歴代の興行収入成績を塗り替える大ヒットとなりましたが、日本では「大失敗」に終わりました。

理由はいくつかありますが、最大の問題は、作品の世界観が日本の観客に受け入れられなかったことでしょう。まずは武侠という存在そのものの「解りづらさ」です。かれらはいずれも「錬功」という、体内のエネルギーをコントロールする修行法によって、超人的な能力を身につけています。こうした設定は、中華圏ではいわば「常識」ですが、日本では一般にはほとんど理解されていません。もちろん、中華圏を代表する武侠小説作家である金庸の作品などは、日本でもすべて翻訳が出ていますが、日本では歴史小説というと、吉川英治や司馬遼太郎のような「真面目」なものが好まれるということもあり、一部の好事家には歓迎されましたが、広く一般に浸透するまでに

▼『聖石傳説』DVDパッケージ

▼2 TBSで放送、全十話。

▼3 台湾での公開は二〇〇〇年。

◀霹靂公司の人形

は至りませんでした。また『聖石傳説』に出てくる素還真は、霹靂公司のテレビ人形劇『霹靂』シリーズで台湾ではよく知られたキャラクターですが、日本人はもちろん知りません。馴染みの無い人物が出て来て、何の説明も無しにワケの解らない設定が次々と出現する展開に、日本の観客は置いてけぼりを食らってしまった感があります。

また「声」が良くなかった、ということもあります。『聖石傳説』では後でも触れる、黄文択という、台湾では大変に人気のある方が全てのキャラクターの声を担当しましたが、かれが裏声で演じた女性キャラの声は、一般の日本人には受け入れられないものでした。また吹替版の方は、素還真役の子安武人は決して悪くはありませんでしたが、ヒロインの如冰《るーびん》役のさとう珠緒は、専業の声優ではないということもあり、お世辞にも良い出来とは言えませんでした。

ちなみに、霹靂公司は『聖石傳説』の後、二〇一五年に『奇人密碼　古羅布之謎』という映画も製作しています。古代中国を舞台に、木製のロボット「阿西《アーシー》」と、かれを守る張墨《チャン・モー》・張彤《チャン・トン》兄妹が活躍する冒険活劇で、世界観は『天空の城ラピュタ』や『もののけ姫』などのスタジオジブリ作品から大きな影響を受けています。素還真シリーズとは関係ないオリジナルストーリーですし、登場人物もそれぞれ別の声優が担当しているので、日本でも受け入れやすい作品だったと思いますが、『聖石傳説』の「失敗」

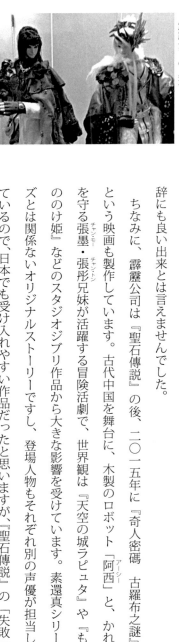

▲『奇人密碼　古羅布之謎』DVDパッケージ

▼4 台北駐日経済文化代表処・台湾文化センターで二〇一八年九月二十二日に上映。

があったせいか、日本ではスポンサーが付かず、結局二〇一八年になってから『古代ロボットの秘密』というタイトルで限定公開されただけとなりました。▼4

ちなみに虚淵は、もともとはこの『奇人密碼』の続編を担当する予定だったそうです。虚淵は、『Fate/Zero』のサイン会のために二〇一四年に台湾を訪れた際、偶然目にした台湾人形劇の素還真シリーズに感銘を受け、何とかこれを日本に紹介しようと考えたのですが、それを聞きつけた霹靂公司が『奇人密碼』続編の製作協力を提案したところ、そうではなく一から新しく作品を作ろうということになり、それが『Thunderbolt Fantasy　東離劍遊紀』になりました。

こうした経緯のために、『Thunderbolt Fantasy　東離劍遊紀』では、『聖石傳説』失敗の元となった素還真は採用されませんでした。また虚淵は日本人ですから、台湾では常識の、武侠にまつわるさまざまな設定や性質を、日本人にも解るテンポで描写することになりました。その結果、マンガやアニメを好んで見る日本の若年層に、中華の武侠の世界を浸透させるという、徳間書店の金庸小説の翻訳プロジェクトができなかったことを成し遂げたのです。

また日本語版で、各登場人物に人気声優を配したことも、日本での成功の理由の一つだったと思います。台湾語版は黄文択の息子の黄滙峰がやはりほぼすべての人物の声をあてていますが、それに日本語字幕を付けて放送しても、日本では受け入れられなかったでしょう。したがって、『Thunderbolt Fantasy　東離劍遊紀』の日本での成功は、突然出現したわけではなく、『聖石傳説』や『奇人密碼』の「失敗」の上に成り立っている、ということができます。

もちろん、『Thunderbolt Fantasy　東離劍遊紀』には「変なところ」もあります。日本の観客が恐らく一番違和感を覚えるのは、作中で黄滙峰が台湾語で漢詩を吟じる場面でしょう。脚本は虚淵ということになっていますが、漢詩を作ることができるとは思えないので、少なくともこの部分に関しては台湾側スタッフが書いているのでしょう。また、人物の名前や技の名前などが非常に堅い漢語なので、耳で聞いてもすぐには解らない、という面もあります。例えば、初めて作品を見た人は、ゲンキシュウと言われても、漢字で書くと「玄鬼宗」であることを理解するのに、かなりの時間がかかるはずです。

こうした要素は『聖石傳説』にもあり、それは興行的な失敗の原因の一つでもあったはずです。それが『Thunderbolt Fantasy　東離劍遊紀』で「許されて」いるのは、そうした「変なところ」が、「解らないからつまらない」ではなく、「解らないから何となく興味を惹かれる」と思えるようになったからでしょう。もちろんそれは虚淵の力量もありますが、『進撃の巨人』や『ユリ熊嵐』など、二〇一〇年代に入ってからそうした「コケ脅し」的な作り方――「中二病」的、と言い換えても良いかも知れません――をする作品が増えたことも影響しているものと思われます。『Thunderbolt Fantasy 東離劍遊紀』は、いわばそういう時代の雰囲気にマッチしたのです。

『Thunderbolt Fantasy 東離劍遊紀』は、以上のような経緯によって、日本で初めて受け入れられた台湾の人形劇となりました。この作品で初めて台湾の人形劇を見た日本人には、この分野は非常に目新しいものに映っているでしょうが、母体となったテレビ人形劇は台湾では戦後長く行われていて、今や「国」を代表するサブカルチャーになっています。そしてそれは、台湾開拓時代から行われている、伝統的な人形劇の延長線上に成立したものです。例えば、一人の人間がすべての登場人物の声をあてるというスタイルも、もともとは伝統芸能としての人形劇に由来しています。

伝統芸能などというと、退屈なもの、という印象をお持ちの方もいるだろうと思います。また、国の文化財だと言って、威張っているもの、と言う方もいるかも知れません。私自身、実際問題としてそういう側面はあるものだと思っています。しかし、ではなぜそうなのか、ということは考えてみても良いでしょう。そこで以下の章では、そうした視点から台湾の人形劇について検討してみたいと思います。

二　台湾の伝統演劇

人形劇というと、子ども向けのもので、大人が見るようなものではない、という印象を持つ方もいるかも知れません。確かに人形劇は、ジャンルの特性として子どもに好かれやすいという特質も持っていますし、現代の日本では子ども向けのものを目にする機会が多いでしょう。しかし子ども向け人形劇は、十九世紀の終わりにヨーロッパで起こった、比較的新しいジャンルです。▼5 それまでは、日本の文楽の例を挙げるまでもなく、基本的に大人が鑑賞する芸能でした。

そうした伝統的な人形劇は、人間が行う伝統演劇とも密接な関係を持ちながら発展しました。日本の例で考えても、例えば歌舞伎で上演される『仮名手本忠臣蔵』や『女殺油地獄』なども、もともとは人形浄瑠璃の演目です。極論をすれば、演劇と人形劇とでは、単に上演者が一方は人間、一方は人形というだけで、両者の間に本質的な違いはない、という言い方もできるわけです。

それどころか、特定の分野では人間よりも人形の方が優れている、という考えもあります。十九世紀初めのドイツの劇作家、ハインリヒ・フォン・クライストは、「マ

▼5 セルゲイ・オブラスツォーフ（著）、大井数雄（訳）「現代社会における人形劇の社会的意義」（E・コーレンベルク『人形劇の歴史』、晩成書房、一九九〇年）、一九〇頁。なお、日本で初めて「子ども向け」の人形劇を上演したのは浅草の花やしきで、一九一〇年代のことだったとされる（加藤暁子『日本の人形劇　1867—2007』、法政大学出版局、二〇〇七年、七五—七六頁）。

▼6 佐藤恵三（訳）「マリオネット劇場について」、『人形書物の王国⑦』（国書刊行会、一九九七年）二〇三―二一〇頁。

◀廟会

リオネット劇場について」という有名なエッセイの中で、人形は関節に余計な力が入ることが無いので、飛んだり跳ねたりする動作では人間よりずっと優美な動きができる、と言っています。[6] 実際、もし実写であれば『Thunderbolt Fantasy 東離劍遊紀』のような登場人物が自在に飛び回る動きは難しいですし、また浄瑠璃から歌舞伎に移植された『女殺油地獄』で見ても、与兵衛がお吉を殺そうとして店の油壺が倒れ、二人が油まみれになるシーンで、文楽では人形を自在に滑らせますが、歌舞伎ではそうした表現は再現できません。

台湾の人形劇では、こうした人形の特性を利用して、神様や妖怪が出て来るような演目が比較的多く作られています。そしてそれは宗教的な文脈での上演、すなわち寺や廟で行われる「廟会」への参与、という状況を生み出しました。

また人形劇は、人間の演劇よりも費用が安く上がるという利点があります。人間の演劇だと、役者や楽隊など何十人も必要な上に、大がかりな舞台も用意しなければいけませんが、人形劇なら十人以下で済む上に、舞台の設置も比較的簡単にできます。都市部より経済的条件の悪い農村部や、個人の家での上演も可能になり、実際、そうした場所では人間の演劇の代替品として機能しました。そのため台湾の人形劇は、音楽や台本などの点で人間の演劇と共通点もたくさんあります。そこでまず、人形劇について考える前に、人間が行う伝統演劇について見てみることにしましょう。

中華圏の演劇というと、日本で最もよく知られているのは京劇です。というより、一般には京劇しか知られてないのが実際のところでしょう。京劇は、安徽省の「徽調」という演劇と、湖北省の「漢調」という演劇がルーツとなっているため、これら地域の方言の影響も受けた、特殊な北方語で上演を行いますが、基本的には「北京の演劇」です。したがって、中華圏には京劇以外にも各地域にそれぞれ「ご当地」の演劇である「地方戯」があります。そして、それら中華圏の演劇はいずれもオペラなので、どのような音楽を用いているかによって「劇種」が分かれることになり、その数は何百にものぼると言われています。京劇も、いわばその中の一つでしかないのですが、ただし、清朝の首都北京で裕福な支配層をパトロンにして発展したこともあり、他の劇種よりも非常に高い水準を獲得しています。その結果、京劇は中国の北京以外の地域でも好まれるようになり、特に上海では独自の役者も育って、恒常的に上演されるようになっています。これを「海派京劇」と言います。

台湾にはもともと京劇はありませんでしたが、[7] やはり演劇としてのレベルの高さが歓迎され、日本統治時代には上海からたくさんの劇団が出張上演にやって来ました。さらに戦後は、国民党政権が「中華文化の保護者」というポーズを取り、京劇を重視

▼7 台湾における京劇については、曾永義・施德玉『地方戲曲概論』（三民書局、二〇一一年）下巻九六〇—九六六頁を参照。

して複数の国営劇団が作られたこともあって、一時期は台湾社会に京劇が定着しました。しかし一九九〇年代以降、台湾文化重視の傾向が強まると、京劇は段々と顧みられなくなって来ています。

歴史上、台湾で最初に行われていた伝統演劇は、「南管戯」という劇種です。[8]これは、福建省の「梨園戯」という演劇が、清朝中期に福建移民によって台湾にもたらされたものです。ゆったりとした優雅なメロディが特徴で、宋・元時代の古い演劇の要素を残し、言語は主に福建語泉州方言が用いられました。清朝統治下の台湾では非常に人気がありましたが、日本統治時代に入ってから段々と振るわなくなり、戦後は演劇としてはほとんど滅んでしまいました。ただし音楽だけはハイカルチャーとして生き残り、現在でも台湾では時々楽団の演奏などが行われています。

南管戯の次に流行ったのが「北管戯」です。[9]南管戯よりも激しいリズムが特徴で、ゆったりしたメロディに飽き始めていた台湾人たちの間で急速に支持を集め、それまで南管戯をやっていた役者たちも次々と北管戯に乗り換えて行きました。北管戯は用いる音楽によって「西皮」という種類と、「福禄」という種類に分かれ、全盛期にはそれぞれを採用する劇団同士で激しく対立したことでも知られています。このうち「西皮」は、京劇のルーツの一つである湖北省の「漢調」が福建省経由で台湾に伝来したもの

▼8 南管戯については、呂錘寛『台湾伝統音楽概論・歌楽篇』（五南、二〇〇五年）九四―一五九頁、曾永義・施徳玉『地方戯曲概論』下巻九九一―一〇二〇頁を参照。

▼9 北管戯については、呂錘寛『台湾伝統音楽概論・歌楽篇』一六一―二二〇頁、曾永義・施徳玉『地方戯曲概論』下巻一〇二一―一〇四九頁を参照。

で、「京劇の田舎の従兄弟」と呼ぶ研究者もいます。もう一方の「福禄」は少し複雑で、浙江省の「婺劇」の系統にある「浦江乱弾」が、江蘇省に由来する「崑曲」や、広東省の「西秦戯」も取り込んだ状態で、やはり福建省を経て台湾に伝来したものです。

役者が劇種を乗り換えるとか、一つの劇種の中に異なる系統が同居しているという状況は、少し解りづらいかも知れません。日本では、能をやっていた役者が途中から歌舞伎に乗り換えるとか、能と歌舞伎の両方をできるということは、あまりあり得そうな話ではないからです。ここで重要なのは、中国の伝統演劇はオペラであり、その劇種を分けているのはメロディだということです。音楽のスタイルということで考えると、例えば戦後日本のポップス歌手で、以前はフォークを歌っていたのに、後にロックへ転向したという例は何人か思い浮かぶでしょうし、またそうした歌手は、フォークとロックの両方のレパートリーを持っています。役者が南管戯から北管戯に乗り換えたことや、福禄が崑曲や西秦戯も取り込んでいることは、これとパラレルな現象と考えると解りやすいと思います。

また、北管戯の上演で用いられた言語は、京劇と同じく湖北省の方言の影響を受けた北方語で、役柄によっては台詞で福建語も使う、というものでした。母語ではない言語で芝居を上演するというのは、一見奇異に感じるかも知れませんが、歌詞と音楽は密接に結びついているため、よその土地で歌われる場合でも、元の言語のままで行うことはよくあります。例えば、イタリアのオペラを日本人歌手が上演する時に、歌詞を日本語にすることは稀で、普通はイタリア語のままで歌います。北管戯が北方語で行われたのも、これと同じだと言えるでしょう。

しかし一方で、人々は音楽を自分たちの言語で聴き、自分たちの言語で歌いたいという欲求も持っています。そうして出てきたのが、次の歌仔戯です。

歌仔戯は、二十世紀の初頭に台湾の民謡をベースとして北部の宜蘭地方を中心に形成されました。[10] ちょうどこの頃、福建移民が持ち込んだ福建語泉州方言と漳州方言のゆるやかな合流が起こり、「台湾語」が成立しつつありましたが、歌仔戯が採用したのはまさにこの言語でした。最初は演劇としてのレベルは高くありませんでしたが、次第に北管戯や京劇から様々な要素を吸収して成長し、多数の観客を獲得して行きました。そして、戦後は北管戯に取って代わり、現在では台湾を代表する伝統演劇になっています。演目は世話物が多く、そのため特に女性から支持されているのが特徴です。

▼10 歌仔戯については、呂鍾寛『台湾伝統音楽概論・歌楽篇』二二一―二八四頁、曾永義・施德玉『地方戯曲概論』下巻一〇五〇―一〇七八頁を参照。

三 台湾の布袋戯

さて、そこで台湾の人形劇です。一般に中華圏の人形劇は、①杖頭戯（棒操り人形劇）、②布袋戯（手遣い人形劇）、③傀儡戯（糸操り人形劇）、④皮影戯（影絵人形劇）の四種類に分かれ、どの種類が行われているかは地域によって異なっています。現在、日本のテレビ番組などで目にする子ども向け人形劇は①の形が多いと思いますが、台湾にはこのタイプはありません。他はすべてありますが、中でも②が圧倒的な存在感を持っており、現在でも台湾全土で一〇〇以上の劇団が活動していると言われています。テレビ人形劇『Thunderbolt Fantasy 東離劍遊紀』もやはりこの種類に分類されます。一方、③や④は、劇団を全部合わせても十以下しかありません。

台湾の布袋戯については、一九九三年に公開された侯孝賢《ホウ・シャオシエン》の映画『戯夢人生』によって、日本でもよく知られるようになりました。[11] この作品は、台湾の著名な布袋戯芸人である李天禄（一九一〇―一九九八）の半生を、彼自身の回想を元に描いたものです。ただし、李天禄の布袋戯は、一般の日本人が映画を見て感じるような、「伝統」的なものではないことには注意しなければなりません。

映画でも描かれているように、李天禄は父親の許金木から布袋戯を習いました。許夢冬の師匠は、日本統治時代初期に台湾北部で活躍した竜鳳閣の陳婆（別名「猫婆」、一八四八―？）ですが、この人の布袋戯は南管戯です。[12] したがって、李天禄の劇団「亦宛然」も、初めは南管戯の布袋戯を行っていました。その後、日本統治時代には当時

▼11 歓楽無線有限公司・年代国際股份有限公司製作、一九九三年。

▼12 陳龍廷『台湾布袋戯発展史』（前衛、二〇〇七年）、三九頁。

▼布袋戯の人形・諸葛孔明

流行していた北管戯に乗り換え、さらに上海から多くの京劇劇団がやって来たり、戦後に国民党政権が京劇を推奨したりするのを見て、今度はこれを全面的に取り入れた外江布袋戯を始めました。ちなみに、かつて台湾北部で李天禄と人気を二分した許天扶の劇団「小西園」も、人間の演劇の方の変化に合わせて、やはり同じように北管布袋戯や外江布袋戯を採用しています。

我々が「伝統」と言う場合には、何百年も行われてきたやり方を受け継ぎ、それをそのまま行う、というものを思い浮かべますが、李天禄はむしろその反対で、かれはその時その時の流行に、あまり節操なく飛びついているのです。しかし、大衆芸能とは本来そういうものでしょう。ハイカルチャーであれば、何百年も姿を変えないということは意味があるかも知れませんが、多くの人々に見てもらうには、時代の潮流に対して敏感に反応していく必要があるからです。

テレビ布袋戯を最初にやったのも李天禄です。開局したばかりの台湾テレビ局で、一九六二年に中国の古典小説『三国志演義』を元にした『三国誌《ママ》』全二十五集を放送していますー[13]。中国文学の名作を取り上げたのは、国民党政府の意向に沿ってのことでしたが、残念ながらこの作品はあまり人気が出ませんでした。李天禄は、その後も何

▼13 陳龍廷『台湾布袋戯発展史』、二三二頁。

度かテレビ布袋戯にチャレンジしましたが、京劇の要素を取り込んだ当時のかれの外江布袋戯のスタイルが、あまりテレビに合わなかったこともあり、いずれも失敗に終わっています。

そうこうするうちに、テレビはあっという間に一般に普及し、劇場や廟会などで上演される伝統的な演劇や人形劇には、人が集まらなくなっていきました。そこに、パリ第三大学の教授で漢学研究者のジャック・ピンパネ（Jacques Pimpaneau、一九三四―、中国名・班文干）が李天禄に興味を持ち、李天禄のもとで学生たちに布袋戯を習わせたり、フランスに招いて上演を行わせたりという「事件」が起こりました。これをきっかけに、李天禄と、かれを取り巻く環境は大きく変わることになりました。李天禄は政府から人間国宝の称号を与えられ、その布袋戯は「台湾の古典芸能」として、国家による保護と顕彰の対象となったのです。

◀布袋戯の人形・孫悟空

もちろん、李天禄の芸は大変にすばらしいものでしたが、「古典」として賞賛される「ハイカルチャー」だったかというと、それはどうも違うように思います。しかし、テレビの普及によって観客を失った伝統芸能が、こうした方法で生き残りを図ることは、多くの国で行われていることで、実際、日本の歌舞伎も全く同じ同じ道を選んでいま

台湾人形劇関連地図

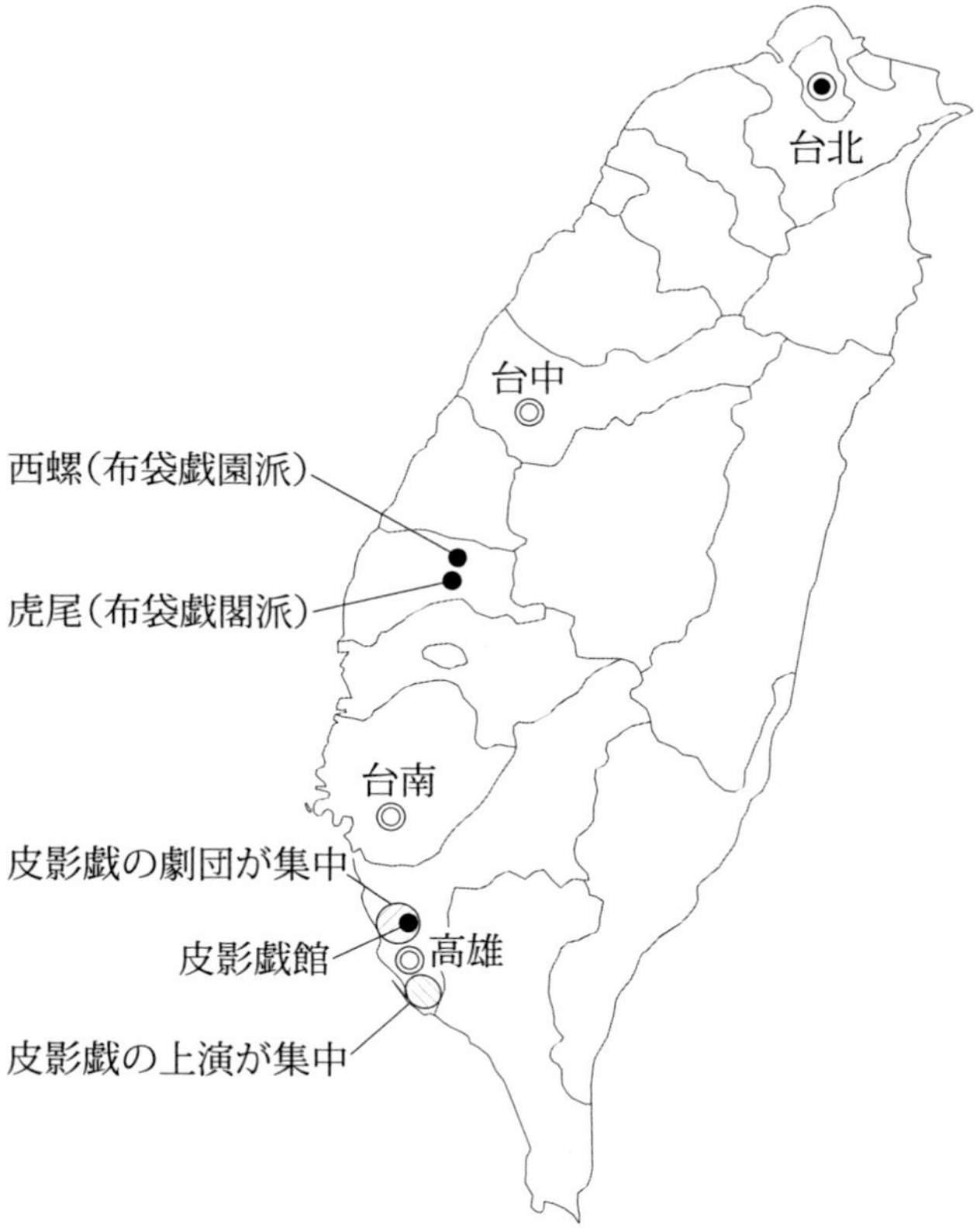

す。そして李天禄は、もしかしたらかれなりの「時代の潮流への敏感さ」によって、そこまで見通した上での行動だったのかも知れません。ちなみに李天禄とライバル関係にあった「小西園」劇団も、やはり同じ道に進み、保守的な上演形態によって現在でも「生き残って」います。

ちなみに伝統芸能が生き残るもう一つの方法は、伝統的なあり方を捨てて新興メディアに身を投じていくことです。日本でも、歌舞伎役者で映画俳優に転向した例は少なくありませんし、落語や漫才なども現在ではテレビで見ることが普通になりました。『Thunderbolt Fantasy 東離劍遊紀』を作った雲林県虎尾の黄家の一族も、まさにそうした例だったと言えます。

黄家の布袋戯は黄馬（一八六三—一九二九）から始まります。かれは蘇総という芸人から南管布袋を習い、「錦春園」という劇団を作りました。息子の黄海岱（一九〇一—二〇〇七）は、初めは父から布袋戯を習いましたが、錦成斎の王満源という人物から北管福路戯を学び、これを布袋戯に取り入れました。かれの劇団「五洲園」はこの北管布袋戯によって大変な人気を呼び、多くの芸人がかれのもとに弟子入りすることにもなりました。現在でも台湾の布袋戯劇団のうち三分の一は五洲園の系統で、これを「園派」と言います。また黄海岱は、明代の小説『封神演義』に登場する、多くの弟子を持つ仙人の名前にちなみ、「通天教主」と綽名されています。

なお、台湾南部で黄海岱と人気を二分したのが、雲林県西螺の鍾任祥（一九一一―一九八〇）です。かれの劇団「新興閣」は、広東省潮州から伝わった「潮調」という音楽を使うのが特徴です。[14] 台湾の漢人の出身地は、戦後国民党政権と一緒に中国からやって来た外省人を除けば、一般に福建省泉州・福建省漳州・広東省嘉応州の三ケ所だとされ、前二者は主に台湾語を用いる福建移民、後一者は客家語を話す客家移民になったと言われていますが、最近の研究では実はもう一つ、広東省東部の福建語流通地域である潮州からも移民がやって来たことが解っています。[15] 実際、香港や東南アジアには現在でも潮州系を名乗る人々がたくさんいますから、台湾だけ来なかったはずは無いのですが、広東省出身でありながら福建語を話す潮州人は、半分は福建人と、半分は客家人と合流し、独立したエスニックグループとしては消滅していまいました。しかしかれらが伝えた文化は残りました。その一つが潮調だったのです。ただ鍾任祥も、途中からは北管布袋戲を行うようになり、息子の鍾任壁（一九三二―）が父親から芸を学んだ時には、潮調の演目はすでに一つ二つ程度しかやっていなかったそうです。[16]

黄海岱の息子が黄俊雄（一九三三―）です。かれも初めは北管布袋戲をやっていまし

▼14 潮調については、呂錘寛『台湾伝統音楽概論・歌楽篇』二九九―三〇二頁を参照。

▼15 台湾の潮州移民については、林正慧『六堆客家与清代屏東平原』（遠流出版公司、二〇〇八年）、陳麗華『族群与国家―六堆客家認同的形成（一六八三―一九七三）』（国立台湾大学出版中心、二〇一五年）、横田浩一「台湾南部屏東県における潮州系移民のエスニック関係と文化資源―陳氏一族の社会的経験を事例として」（志賀市子編『潮州人』、風響社、二〇一八年、一二三―一五二頁）などを参照。

▼16 呉明德『台湾布袋戲表演芸術之美』（台湾学生書局、二〇〇五年）、六三頁。

◀鍾任壁の布袋戯上演

たが、一九六九年にテレビ布袋戯に進出しました。初めは李天禄同様、あまりうまくいきませんでしたが、雲南省出身の武侠・史艶文の活躍を描く『雲州大儒俠』を一九七〇年から放送したところ、何と九〇％を超える視聴率を獲得する大ヒットとなりました。

この作品がそこまで人気になった理由はいくつかありますが、一つには李天禄のような「中国文学の名作」ではなく、当時流行だった「武侠」という題材を採用した点が挙げられます。武侠小説という分野は一九二〇年代頃から中国で流行し、映画も作られていましたが、日本の統治下にあった台湾にはほとんど入って来ませんでした。しかし戦後になると、国民党政権とともに武侠小説や武侠映画が台湾に流入します。最初は戦前の中国の作品や、同時代の香港のものが読まれましたが、一九五八年に国民党政権が思想統制を目的とした出版法の改正を行うと、そのとばっちりを受けて、中国の旧派武侠小説や、デビュー間もない金庸も含む香港の武侠小説が発禁となりました。そのため台湾では、この前後にデビューした臥竜生（一九三〇—一九九七、代表作に『風塵俠隠』・『飛燕驚竜』・『玉釵盟』など）、司馬翎（一九三三—一九八九、代表作に『剣神』三部曲など）、諸葛青雲（一九二九—一九九六、代表作に『紫電青霜』・『奪魂旗』など）ら、「国産」作家が読まれていきます。特に一九六〇年にデビューした古竜（一九四一—一九八五、代表作に『浣花洗剣録』・『武林外史』・『蕭十一郎』）などは、台湾を代表する武侠小説作家として人気を博していきました。[17]

こうした武侠人気は、布袋戯にも取り入れられました。最初に武侠ものを上演したのは、例によって李天禄です。かれは香港の武侠小説作家・陳勁（我是山人）の「洪熙官」ものと、映画『清宮秘史』の内容を組み合わせ、一九五二年に『清宮三百年』という演目を製作しています。しかし、これは流行に敏感な李天禄だからこそできたことで、なにせ日本統治時代には無かった分野ですから、一般の台湾人は武侠小説の素養が無く、「消費」はできても、一から「製作」することは難しい状況にありました。それは、上記の台湾「国産」作家たちが、いずれも外省人だったことからも解ります。

それでは黄俊雄はどこから『雲州大儒侠』のネタを持って来たかというと、実はこれは父親の黄海岱が日本統治時代に作った『文素臣』という演目が元になっています。[18] そしてこれは清代に夏敬渠という人が書いた、『野叟曝言』（全一五四回）という小説が原作です。[19]

『野叟曝言』は、明代の成化年間を舞台に、儒教を尊び、仏教と道教が大嫌いな、文素臣という人物の活躍を描く作品です。一般に、中国文学研究の分野でこの作品の評価は決して高くありません。例えば魯迅は、『中国小説史略』で『野叟曝言』を「清

▼17 台湾における武侠小説の展開については、葉洪生・林保淳『台湾武侠小説発展史』（遠流、二〇〇五年）、四一―三二六頁を参照。

▼18 『雲州大儒侠』の成立については、張溪南『黄海岱及其布袋戯劇本研究』（台湾学生書局、二〇〇四年）、九三―一六八頁を参照。

▼19 『古本小説集成』（上海古籍出版社、一九九〇年）所収、復旦大学図書館蔵光緒七年毗陵匯珍楼本。

代に文才や学識の顕示を目的として書かれた小説」の中に分類し、「内容は荒唐無稽で、文章も味わいが無く、とてもではないが文学芸術とは言えない」と言っています。[20] また日本では山県初男の抄訳が昭和十五年に『大俠艶史』の題で出ていますが、[21] この邦題が表すように、作中には艶《つや》っぽい描写もかなりあります。

　確かに、例えば『三国志演義』や『水滸伝』に比べれば人物描写や設定などは見劣りがするでしょうし、荒唐無稽と言えば荒唐無稽ですが、主人公の超人的な活躍ぶりを描くという点では、たまに挟まる「サービスシーン」の存在なども含めて、現代の日本のヒーローもののマンガのような味わいを持っています。そのためこの小説は、大衆的なテレビ番組にはちょうど良い題材だったと言えるでしょう。また、放映開始後まもなく「ニクソン・ショック」が起こり、台湾の中華民国政府が国連を脱退したことで、台湾社会全体に重苦しい雰囲気が漂っていました。そうした状況の中で、悪をやっつける武侠の活躍ぶりに、庶民は胸のすく思いをしたのでしょう。

　ちなみに、小説の最初の方では、文素臣は悪事を企む僧侶や道士と戦っていましたが、朝廷に取り立てられた後は、仏教や道教を信奉する外国の勢力と対峙して行きます。面白いのは、そこで日本の「関白木秀」とその妻の「寛吉」が登場し、文素臣に懲らしめられる場面があることです。もちろんこれは「関白秀吉」のことでしょうが、

▼20 上海古籍出版社、一九九八年、一七三―一七五頁。

▼21 興亜書局、一九四〇年。

日本人が悪く描かれているため、台湾では昭和初期に禁書になりました。そこで、『文素臣』というタイトルでは『野叟曝言』の話だと解ってしまうため、黄海岱は途中から題名を『忠勇孝義伝』に変更し、文素臣も「史炎雲」という名前に改めました。

黄俊雄がテレビ布袋戯を製作するにあたり、当時ブームだった武侠ものをやろうと考えた時に、かれはこの『忠勇孝義伝』に注目しました。史炎雲は「武侠」ではありませんが、超人的な活躍をするという点でよく似ていましたし、「儒教を奉じる」という点は当時の国民党政府の政策とも一致していたからです。ただ黄俊雄は、父親の演じる『忠勇孝義伝』は見ていましたが、原作の『野叟曝言』は読んでいませんでした。しかしおかげで、『雲州大儒侠』製作にあたっては、小説に縛られることなく、自由なアレンジを行うことが可能となりました。より「儒教っぽく」するため、主人公の名前も「史炎雲」から「史艶文」に変え、音楽も北管戯をやめて西洋風にし、ストーリーも途中から完全なオリジナル展開にしていきました。

また、この作品を語る上でもう一つ重要な点は言語です。当時の国民党政権は北京語を強制し、テレビ放送などで台湾語を使うことは禁止していました。しかし人形劇は歴史的な経緯もあり、セリフを急に北京語に改めるのは難しいということで、台湾語での放送が許されたのです。そのためこの番組は、普段北京語に「抑圧」されていた台湾語話者を熱狂させ、布袋戲は台湾ナショナリズムと結びついていきました。一九七〇年代に子ども時代を過ごした、現在中年層の世代は、多くがこの黄俊雄の番組で台湾語の表現を学んだと言われています。

これと同じような現象は、「人形劇大国」として知られるチェコでも起こっています。チェコは、一九一八年まではオーストリア帝国、一九三八年から一九四五年まではナチス・ドイツと、二度にわたってドイツ語国家の支配を受けましたが、その中で一般庶民の間でチェコ語の娯楽として行われたのが人形劇でした。そのため人形劇はチェコのナショナリズムと密接に結びつき、その後大きな発展を遂げることとなったのです。[22]

さて、『雲州大儒俠』人気が過熱すると、国民党政府は次第に警戒心を募らせて行きました。例外措置として台湾語使用を認めただけなのに、そんな番組が幅をきかせてしまったら、北京語公用語政策を進める立場としては大変に「困る」わけです。そのため結局、この番組は一九七四年に「放送禁止」となり、黄俊雄のテレビ布袋戲はいったんテレビ局を逐われました。

一九八三年に、『雲州大儒俠』は再びテレビで復活します。最初は史艶文を主人公にした話でしたが、一九八四年の続編『七彩霹靂門』からタイトルに「霹靂」という

▼22 加藤暁子『人形の国のガリバーさん—チェコの人形劇に学んで』（中央公論社、一九七八年）、九〇頁。

言葉が付き、それとともに史艶文の出番も減って新キャラの「素還真」が前面に登場するようになり、一九八九年の『霹靂眼』からは正式に「主人公は素還真」となって、主演も黄俊雄から息子の黄文択に世代交代しました。こうして登場した新しいシリーズを「霹靂布袋戯」と言います。[23]

霹靂布袋戯は、一九七〇年代の史艶文ものと様々な点で違いがあります。まず、作中で用いられる台湾語に明らかな変化が生じたことです。これは、分業体制の確立によって、最初にライターが北京語でシナリオを書き、それを上演者が台湾語に変換するというスタイルになったため、台湾語が北京語の直訳調になっています。これは年配の世代からは反発も食らいましたが、北京語教育が一般化した若年層には支持されました。

また人形は、造形面で以前と比べものにならないほど精緻になった上、両手で操作するようになったため細かい仕草なども可能となりました。物語展開も、以前は史艶文のヒーロー性に頼っていましたが、「霹靂」では個性的な武侠が多数登場する、群像劇風の話に変わりました。特に、美形キャラの恋愛なども描いたりするようになったことで、それまであまりいなかった若い女性のファンも付くようになりました。こうした要素は、黄文択の息子の黄滙峰が中心になっている、現在の『Thunderbolt

▼23 霹靂布袋戯の成立については、呉明德『台湾布袋戯表演芸術之美』三六五—五八七頁を参照。

Fantasy　東離劍遊紀』にも受け継がれています。

なお霹靂布袋戯は、最初は地上波放映でしたが、その後ビデオレンタルやケーブルテレビなどにも進出し、さらに現在では毎週全国のコンビニで新作ＤＶＤを販売するという形態でシリーズが続いています。

四　糸操りと影絵

前章でも述べたとおり、台湾の人形劇は布袋戯の他に、傀儡戯（糸操り人形劇）と皮影戯（影絵人形劇）もあります。

傀儡戯は、台湾の三種類の人形劇の中で一番マイナーな存在で、北部の宜蘭地域と、南部の台南・高雄地域で、ごく限られた条件のもとで上演が行われているだけです。[24]しかし、西ヨーロッパで人形劇というと、むしろこのタイプが最も一般的で、先に引用したハインリヒ・フォン・クライストのエッセイで説かれているのも、またゲーテの『ファウスト』の元になったドイツの人形劇も、[25]いずれも糸操りでした。さらに、福建系移民の故郷の一つである中国の泉州も、糸操り人形劇では有名な地域です。それが台湾ではマイナーになってしまっているのは、台湾では傀儡戯が基本的に宗教儀礼と密接に関わる形で存在しているためです。

▼24 台湾の傀儡戯については、宋錦秀『傀儡、除煞与象徴』（稲郷出版社、一九九四年）三九—八五頁、石光生『南台湾傀儡戯劇場芸術研究』（国立伝統芸術中心籌備処、二〇〇〇年）一一—一四頁を参照。

▼25 南江治郎『ファウストとパンチ—近代人形劇の源流をさぐる』（いかだ社、一九七二年）、四七—一一八頁。

◀錦飛鳳傀儡戯劇団の上演

◀高雄南部の漁港での皮影戯上演

人形や人形劇は、日本の「オシラサマ」を例に挙げるまでもなく、もともと呪術的な性格を持っています。各国の人形劇を見ても、本来は儀礼上演を行っていたものが、段々と娯楽性を獲得して宗教性が薄れてゆき、大衆芸能として発展したものが多いようです。布袋戯は現在でも儀礼的要素を色濃く残していますが、傀儡戯はより原初的な形態を留めており、現在でも葬送儀礼での上演が中心です。演目も、最もよく知られているのは『跳鍾馗』という、鍾馗さまの邪鬼退治を演じるものですが、正直言って見ても決して面白いものではありません。また台湾北部の人々は、傀儡戯に出くわすと「縁起が悪い」と言って、ちょうど日本人が霊柩車を見た時のような反応をします。ただし南部では、戦前に中国の泉州から導入した娯楽性の高い演目も行われています。代表的なのは高雄の錦飛鳳傀儡戯劇団で、新作演目なども精力的に発表していますが、残念ながら布袋戯ほどの人気は無く、現時点では限定的な受容に留まっています。

もう一つの皮影戯は、動物の皮をなめして作った平面の人形を、透明なスクリーンに押し当てて上演する影絵人形劇のことです。日本ではインドネシアのワヤンが有名ですが、歴史的に見ても、またバリエーションの豊富さから言っても、世界有数の影絵人形劇大国と言えるのは中国です。台湾の皮影戯も中国に由来しますが、やはり傀偶戯同様、ごく限られた地域でしか行われていません。しかも傀儡戯なら、実際に見たことはなくても忌避すべき対象としての「知名度」はありますが、皮影戯は、そもそも台湾に存在すること自体あまり知られていません。

台湾の皮影戯は潮調を使います。これは前章で述べたように、布袋戯の新興閣劇団が用いていた音楽です。新興閣は北管戯に移行しましたが、皮影戯は現在でも潮調のままです。中国の広東省東部には「正字戯」および「白字戯」という、同様に潮調を用いる伝統演劇や皮影戯が分布しています。[26]両者の関係は第二章で述べたフォークとロックの関係に相当し、陸海豊では現在でも二つを区別して呼び、潮州では統合して「潮劇」と言いますが、どちらの地域でも実質的に一体化している点で共通しています。台湾の皮影戯を広東省の正字戯・白字戯・潮劇と比べると、台本や音楽などが細かい点まで一致するものがあるので、前者は後者が移民によって伝えられたと考えてよいでしょう。[27]

台湾の皮影戯劇団は現在、東華皮影劇団・永興楽皮影劇団・復興閣皮影劇団・高雄皮影劇団の四つしか残っていません。[28]いずれも高雄市北部の郊外に分布し、後述する小学校などでの公演を別にすると、上演場所は高雄市南部の漁村に集中しています。これらの地域の住民は、廟会の儀礼上演で、布袋戯や歌仔戯などではなく、皮影戯を

▼26 広東省の正字戯・白字戯・潮劇については、鄭守治『正字戯潮劇劇本唱腔研究』（中国戯劇出版社、二〇一〇年）一―二七頁を参照。

▼27 拙稿「台湾皮影戯『白鷺歌』と明伝奇『鸚鵡記』」、『中国都市芸能研究』第十五輯、好文出版、二〇一七年、五―三〇頁。

▼28 なお台湾にはもう一つ、新北市に華洲園皮影劇団があるが、これは一九八〇年代に中国に行って新しい影絵人形劇を学んで来た劇団なので、ここでは除外する。

行うことに、非常に強いこだわりと愛着を持っています。

こうした地域的な偏りは、皮影戯が潮調であること自体と密接な関係があります。というのは、高雄市郊外はかつて潮州人が多く入植した地域で、その後かれらは福建人に同化されてしまいましたが、潮州由来の文化として現地に残ったのが皮影戯だと考えられるからです。[29] 実際、皮影戯で用いられる福建語には、現在でも「障年」(このようである)や「做再年」(どうでしょう)など、潮州方言特有の語彙が用いられています。[30] こうした潮州文化としての皮影戯の存在は、本来は非常に複雑な要素から成り立っている台湾の伝統文化を、単純に福建文化と客家文化だけで理解しようとする近年の風潮に対し、アンチテーゼとなる存在と言えるでしょう。

しかしこれは逆に言えば、台湾の皮影戯の流通範囲がかつての潮州人入植地域の中に留まってしまっていることも意味しています。そしてそのために皮影戯は、布袋戯のように台湾全土で行われることもなく、また台湾全体を代表する伝統文化にもなれませんでした。

皮影戯は一九五〇年代と一九六〇年代に、たくさんの新作劇も製作・上演されました。最も有名だったのは、東華皮影劇団の張徳成です。かれは李天禄同様、時流に敏感な人物で、西洋音楽の導入も試み、娯楽的な演目を次々と送り出して、一時期はた

▼29 拙稿「台湾南部における影絵人形劇の上演について—中元節を中心に」、『中国都市芸能研究』第十六輯、二〇一八年、三七—五二頁。

▼30 邱一峰『台湾皮影戯』(晨星出版、二〇〇三年)一六六頁。

いへんな人気を獲得しました。

ただ、問題はテレビでした。布袋戯のようにテレビに進出しようにも、影絵人形はそのままではブラウン管には合わず、無理に適応させようとすると単なるセルアニメにしかなりません。中国では、『火炎山』・『大あばれ孫悟空（大鬧天宮）』・『ナーザの大暴れ（哪吒鬧海）』など、もともと皮影戯の演目だったものがいくつもアニメ作品になっていますが、これは見方を変えれば、「皮影戯が新興メディアに進出した結果、アニメーションに変化した」と言うこともできるでしょう。[31] また中国では、映画の配給ができなかったり、テレビの普及が遅れたりしていた地域で、アニメ作品を皮影戯にして上演することも行われました。これはいわば、皮影戯が一時期は中国でアニメの代替物として機能することで生き残ったとも言えます。しかし、台湾の皮影戯はアニメに転化することもなく、かといってテレビと共存ないし対抗できる手段も持ち合わせていなかったため、テレビ時代になると急速に没落してしまいました。

その結果、皮影戯も李天禄の布袋戯と同じく、「台湾の古典芸能」となることで生き残りを図りました。そして国に認められたことで、公営の「皮影戯館」という、資料の保存・展示を行う施設も、高雄市岡山に作られています。ただ一方で、布袋戯で言えば園派が行ったような、皮影戯の「現代化」も進みました。その結果現在の皮影

[31] 拙稿「中国の国産アニメーションと影絵人形劇—1950年代を中心に」、『中国都市芸能研究』第十三輯、二〇一五年、二七—四一頁。

◀高雄市岡山の皮影戯館

戯は、「古典芸能」路線と「現代化」路線が、ある種中途半端なまま共存している状態にあります。これが端的な形で現れているのが、小学校などで行われる「学校上演」です。

学校上演は、もちろん布袋戯でも行われていますが、皮影戯の場合は人形の特性のために、体験教室を開きやすいという利点があります。人形が平面のため、紙かセルロイドの型版を子どもたちに配付し、組み立てさせた上で、スクリーンで上演体験をさせることができるからです。子どもにとっても、人形をもらえれば良い記念になりますし、もしかしたらそうした経験を元に、本格的に皮影戯をやってみよう、という気になるかも知れません。後継者不足に悩む劇団に取っては悪い話ではありませんし、そもそも安定した収入と上演場所を確保できるのですから、こんなに良いことはありません。

しかし問題は、そうした学校上演で行われるのは、多くが「現代化」路線で生み出された児童向けの新作劇であることです。伝統的な演目は、もともと大人向きの内容ですし、そもそも上演時間が長いので、学校の授業で見せるのは難しいでしょう。ただそうした新作劇の上演は、皮影戯を「古典芸能」とする立場とは矛盾が生じます。そのため多くの場合、中身は「新作」だが上演方法は「古典」だ、というように説明しているようですが、そうすると今後皮影戯を継承してゆく時に、上演方法さえ守れば良いのか、昔からある演目や儀礼上演のような伝統的な形態は無くなっても良いのか、といったことにもなります。こうした問題は皮影戯だけではなく、台湾の人形劇全体、さらにはすべての国の伝統芸能について言えることだろうと思います。

五　おわりに

以上、台湾の人形劇の全体像を概観してきました。時代による変化という点で言えば、布袋戯が最もめまぐるしく変わり、皮影戯がこれに次ぎ、最後が傀儡戯というように、三者でグラデーションを取ることができるでしょう。特に布袋戯は、テレビへの対応に成功したことによって台湾を代表するサブカルチャーにまで発展し、今日我々が見る『Thunderbolt Fantasy　東離劍遊紀』を生み出すまでに至りました。もちろんそれは、皮影戯と違って人形の形態がテレビに適していたということと、台湾語ナショナリズムと結びついたという、偶然の要素に左右されたという側面もありますが、時代の変化に敏感に反応し、流行を取り入れてきた、芸人たちの並々ならぬ努力の結果と言えます。布袋戯が台湾の「伝統」であることは確かですが、それは一般に日本人が考えるような、ある時点で停止したものではなく、絶え間無く変化してきたものです。傀儡戯や皮影戯の変化の度合いは布袋戯には及びませんが、それは歴史的な経緯のために台湾の中でマイナーな存在に留まったということも関係していると言えるでしょう。

人々が日常的に人形劇の生の上演を見る環境がなくなった以上、人形劇の上演自体は縮小して行かざるを得ない状況にあります。ただ、儀礼上演は現在でも需要がかなりありますし、また生の上演はブラウン管では得られない迫力と臨場感があります。そうした点で、台湾の人形劇は、例えば「先祖代々続く儀礼の一部」として、あるいは「週末の娯楽の選択肢の一つ」として、今後も上演されてゆくことでしょう。

中華圏の影絵人形のデザインと系譜

千田　大介（ちだ・だいすけ）

▲①ワヤン・クリ

一　はじめに

日本で最もよく知られた影絵人形劇は、藤城清治作品ではないでしょうか。筆者も子どものころ、東京電力のＣＭに使われた彼の作品を見て、その幻想的な美しさに目を奪われたものです。藤城作品は、キャラクターの造形からわかるように、ヨーロッパの影絵人形劇の影響を受けていますが、実はヨーロッパやトルコの影絵人形劇は、モンゴル帝国の時代に中国から伝わったもので、フランスでは今でも影絵のことを「ombres chinoises」（中国の影絵）と呼んでいます。つまり、隣国中国の影絵人形劇が、ぐるりと地球を一周して日本に伝わったことになります。これは、日本で中国の影絵人形劇が余り知られていないことを示しているとも言えるでしょう。

中国の影絵人形劇はカラフルで動きが多く、京劇などと同じように歌劇形式で演じられ、インドネシアのワヤン・クリ（①）やカンボジアのスバエク・トム（②）などとは、

◀②スバエク・トム

また異なる味わいがあります。かつては、中国本土や台湾など、中華圏全体で行われていました。現在ではかなり衰退したとはいえ、それでもまだ中国の大半の省に残っています。東南アジアには中国の影絵人形劇そのものは伝わっていないようですが、広東省潮州で影絵が人形劇に発展した鉄枝木偶戯《てつしもくぐうぎ》が、マレーシアの華人の間で演じられています。

さて、中華圏の影絵人形劇は、人形のデザイン、音楽、台本などなど、地域によってそれぞれ独自の特徴を持っているので、ひとくくりに論ずることができません。そこで以下では、まず中国における影絵人形劇の形成について述べたあとで、中国各地の主要な影絵人形劇の特色や来歴について、演劇研究や歴史研究などの成果をふまえつつ、主に影絵人形のデザインの観点から概説します。その上で、本書のテーマに沿って、台湾皮影戯の来歴について考えてみたいと思います。

なお、影絵人形劇は中国語で「影戯」と言い、人形が紙製だと「紙影戯《しえいぎ》」、皮革製だと「皮影戯《ひえいぎ》」になります。本稿では、一般名詞については「影絵人形劇」という呼び方で統一しますが、各地域の影絵人形劇を指す固有名詞については、「冀東皮影戯《きとう》（冀東影）」「台湾皮影戯」のように、中国語の呼称をそのまま使用します。

二 影絵人形劇の形成

中国の影絵人形劇の起源ははっきりしません。人形劇と同様にインドから伝来したのではないかという説があり、筆者もその可能性が高いと考えていますが、具体的な証拠は見つかっていません。

漢の時代、「傾国の美女」の典故となった李夫人が亡くなったことを嘆き悲しんだ武帝が、魂を呼び戻すことができるという方士の術で、帳越しに美女の影を見た、という『漢書』巻九十七「外戚伝」に見えるエピソードが影絵劇の起源であるとも言われますが、後人が牽強付会したものでしょう。

不世出の京劇の女形として知られる梅蘭芳《メイ・ランファン》のブレインであった斉如山《せいじょさん》は、「故都百戯」[1]の中で、影絵人形劇の発祥地は陝西省の西安であると推測しています。西安が唐の古都で影絵人形劇が盛んだから、という程度の理由しかなく、憶測にほかならないのですが、本人のネームバリューもあって影響力が強く、中国の多くの書籍や論文で、西安起源説が踏襲されています。

さらに、漢訳仏典や唐詩の「影」に関する言及から影絵人形劇と解釈できそうなものを並べ、唐代には影絵人形劇が存在したとする研究者もいますが[2]、そもそも影絵人

▼1 『大公報』一九三五年八月七日—十日。

▼2 康保成「仏教与中国皮影戯的発展」(『文芸研究』、二〇〇五年第五期)。

形劇の定義をしていないため、理論的に説得力がありません。

では影絵人形劇は、どう定義できるでしょうか。演劇の一種ですので、まず何らかの人物を具象化した影絵人形という視覚表現が必要です。次に人形を操作して表現する物語が欠かせません。さらに、演劇であるからには、上演の場、影絵人形劇の場合はスクリーンと上演者、観客が必要でしょう。これらの要件を満たし、影絵人形劇が存在したことが確実にわかるのは、北宋の時代です。

最も早い影絵人形劇の記事は、高承の『事物紀原《じぶつきげん》』に見えます。

宋の仁宗（在位：一〇二二―一〇六三）のとき、町に三国物語を語るのが上手いものがいた。ある者がその話をとって、絵飾りを加えて、影絵人形を作り、初めて魏・呉・蜀鼎立の戦争の様子を演じた。

高承は北宋の元豊年間（一〇七八―一〇八五）頃の人です。ここで注目されるのは、三国志ものの講談に視覚表現を与える形で影絵人形劇が作られた、とされていることです。動く紙芝居、といったイメージでしょうか。張耒《ちょうらい》（一〇五四―一一一四）の『続明道雑志《ぞくめいどうざつし》』にも、チンピラが、影絵人形劇好きの金持ちの息子から、劇中の関羽の追悼にかこつけて、金品・酒食を巻き上げるエピソードが収められており、ここからも三国志と影絵人形劇の関係の深さがわかります。後の小説『三国演義』に結実する三国志物語のビジュアルイメージは、宋代、影絵人形劇を通じて形成されていったのかもしれません。

徐夢莘《じょぼうしん》の『三朝北盟会編』（巻一九九）には、南宋初期、欽宗の皇子を詐称した男の記事が見えます。

影絵人形劇が上演されるたびに、セリフを口ずさんで暗記し、禁中の御殿での皇帝、皇后の口ぶりを覚えた。

皇帝や皇后が登場するからには、やはり歴史ものを演じていたのでしょう。また、この男の出身地は単州碭山県《ぜんしゅうとうざん》、現在の安徽省の北東の角にあたりますが、ごくありふれた規模の田舎町で、さして経済的に繁栄していたところでもありません。ここから、首都の開封だけでなく、地方にまで広く影絵人形劇が浸透していたことがわかります。

影絵人形については、呉自牧《ごじぼい》の『夢粱録《むりょうろく》』に以下のように見えます。

はじめ開封では白い紙を彫刻したが、後の人は技巧をこらして羊の皮を彫刻し、人形色を施し、壊れないようにした。杭州には賈四郎、王昇、王閏卿らがおり、人形の操作に熟達し、語りも素晴らしかった。その話本は歴史ものの講談とそっくりで、いずれも真実と虚構があい半ばしており、忠義なものは整った形に、邪なものは醜く彫刻するが、そこに褒貶を込めているのであろう。

『夢梁録』は南宋の滅亡後、その首都であった臨安（現在の浙江省杭州市）の繁栄を懐かしんで書かれたものです。影絵人形の材質が、北宋代には紙だったのが、後に羊皮に変わったとされています。登場人物の性格によって、頭のデザインを変えるのは、中国の伝統劇の役まわりや隈取りとも相通じています。

また、影絵人形劇は南宋代になっても歌劇形式をとらず、講談のように語られており、しかも、一人が人形操作と語りを兼ねて演じていたことがわかります。「話本」というのは、語りの台本という意味で、明代には「話本小説」という講談風の短編小説が多く作られますが、言葉としてはこれが最も早い用例になります。

ところで、南宋時代に形成された演劇、南戯の最初期の戯曲である『張協状元《ちょうきょうじょうげん》』や、四大南戯の一つ『殺狗記《さっこうき》』などには、「大影戯」という曲牌（定型の歌曲）が見えます。ここから、宋代の影絵人形劇が歌劇形式であったと論ずる人もいますが、▼3 曲牌の名称が「大影戯」であって「影戯」でないことに留意する必要があります。

元初に書かれた周密の『武林旧事』は、やはり南宋の臨安の風俗を記録していますが、巻二「元夕」の項に「小さな楼閣で、人によって大影戯を演じ」と見え、大影戯がスクリーンの後から人のシルエットを映して演じる、影絵人形を使うものとは別の芸能だったことがわかります。歌曲を伴ったのはこちらであって、一般の影絵人形劇

▼3 孫楷第「近世戯曲的演唱形式出自傀儡影戯考」（『滄州集』、中華書局、一九六五年）、周貽白「中国影戯与傀儡戯影戯――対孫楷第先生『傀儡戯考原』一書之商榷」（『周貽白戯曲論文選』、長沙出版、一九八二）など。

▼③岩山寺文殊殿「児童弄影戯図」

▼④孝義金墓壁画

は語りを中心にしていたと考えるべきです。

宋代の影絵人形の絵画資料としては、『嬰孩弄影戯図《えいがいろうえいぎず》』が残っており、山西省繁峙の岩山寺にも、似た絵柄の壁画がります（③）。また、山西省孝義の金代の墓からも、影絵人形の頭部を描いたとおぼしき壁画が見つかっており（④）、現在の影絵人形ともあい通じるデザインになっています。

三 影絵人形劇の特殊性

宋代とはうって変わって、元・明代の影絵人形劇の記録はほとんど残っていません。風物を詠んだ詩で影絵人形劇に触れるものが幾つかあり、明末の小説『檮杌閑評《とうこつかんぴょう》』で、演劇が終わった後の余興として影絵人形が登場しているくらいです。かといって、清代から現代に至るまで、影絵人形劇は各地で盛んに行われているのですから、元・明代に衰退していたとは思えません。

中国の北方では、金末に雑劇と呼ばれる歌劇形式の演劇が成立し、元代に大流行します。同じ時期に南宋でも南戯と呼ばれる、やはり歌劇形式の演劇が形成され、明代にかけて発展していきます。こうした演劇は、俳優のほかに劇場、楽隊などを必要としており、コストがかかるため、資本の集積した都市部や、官僚、富裕層によって受容されました。

中国は文字の国、記録の国といわれ庞大な文献資料が残されている反面、知識層は、興味のないこと、取るに足らないと判断したことを書き残してくれないので、日常の生活や習慣、庶民芸能などについては、案外わからないものです。影絵人形劇も、演劇の繁栄に押されて知識層の視界に入らなくなり、記事が減ったのだと思われます。

一方、影絵人形劇は、比較的低コストで上演できることから、都市の中・低所得層の間で、また農村で、命脈を保ち続けました。そして、演劇の影響を受けて、講談から歌劇形式に、そのスタイルを変えていきました。

二十世紀になって、西洋の学問の影響を受けて各地の民俗や伝統芸能の調査・研究が進む中で、影絵人形劇の姿も次第に明らかになってゆきましたが、それらの芸能が現在の姿になるまでの歴史的経緯の解明には、資料的制約から困難がつきまといます。影絵人形劇芸人の間の伝承は手がかりになりますが、誇張や間違いが付きものですので、他の資料による裏付けなしに事実であると認定することはできません。

ところで、現在でこそ子ども向けのイメージが強い影絵人形劇ですが、それは戦後、ソ連や東欧の影響によるものであって、本来は京劇などと同じように、大人が見る演劇の一種でした。ですので、影絵人形劇を考える際には、伝統演劇の研究方法を参照する必要がります。

中国では全国各地に、三百数十種にも及ぶ伝統演劇が伝わっています。中国の伝統演劇はいずれも歌劇形式であり、主に用いられる「声腔」の違いによって分類されます。声腔というのは節回しのことで、平たくいえば「〜〜節」のようなものです。ある声腔がどこかの地域に伝わり定着すると、方言や地域文化と結びついて変化し、それが新たな劇種になります。この声腔の変遷史の解明が、中国演劇史研究では大きなウエイトを占めています。

影絵人形劇についても、演劇研究の成果を参照しつつ、音楽や台本を手がかりに声腔について考えることで、その形成や伝播の経緯を、ある程度、明らかにすることができます。

一般に影絵人形劇には、現地で一世代前に流行した演劇の声腔が保存される傾向が見られます。例えば、北京西派皮影戯は、京劇が流行するよりも前、清代中期頃に行われていた高腔（京腔）を用いています。浙江省の海寧皮影戯も、清代中期頃に流行した乱弾を唱います。

演劇に比べて上演コストが低いため、影絵人形劇は、共同体の祭祀や一族の儀礼などで、経済的能力が限られる場合に演劇の代わりに用いられる、「プアマンズ・オペラ」

ともいうべきポジションにありました。このため、演劇の流行を追いかけてゆく必要があったのであり、事実、北京西派皮影戯や海寧皮影戯でも、清末から民国年間にかけて、声腔を京劇の皮黄腔に改める動きがありました。

従って、声腔よりも影絵人形の方が、演劇の影響を受けない分、より古い要素や、伝播の経緯を留めていることもあり得るのです。このため、各地の影絵人形劇の形成や伝播を考えるときには、声腔だけでなく影絵人形についても目配りしなくてはなりません。

四　北京・河北・東北の影絵人形劇

中国では影絵人形劇がとりわけ盛んな地域が幾つかあります。北京とその周辺地域である天津市、河北省、そして東北地方（いわゆる旧満州）もその一つです。

清朝の統治階層であった満州人の間では、影絵人形劇が愛好されていました。同じ満州人（女真族）の王朝であった金が北宋を滅ぼしたときに、開封の都の影絵人形芸人を東北地方に連行していった影響だと推測する人もいます。彼らの影絵人形劇愛を伝えているのが、清の王府の影絵人形です。清代には皇帝の兄弟が王位に封じられましたが、王府とは彼らが北京市内に構えた邸宅のことです。皇帝の兄弟というのは政

▼4 Rainald Simon, *Das Chinesische Schattentheater*（皮影戯）, Offenbach am Main: DLM Deutsches Ledermuseum/Schuhmuseum Offenbach, 1986, p.12

▼⑤果王府の影絵人形「佘塘関」

治的に警戒される立場ですので、道楽に興じて野心のないことをアピールするのが、歴代、一つのパターンになっています。

現在、礼王府、果王府など、複数の王府のものだと伝えられる人形が残っており、中国美術館、上海美術館のほか、ドイツのオッフェンバッハ皮革博物館、ストックホルム民族誌博物館など、ヨーロッパの複数の博物館にもコレクションされています▼4（⑤⑥）。

乾隆帝の八〇歳の誕生祝いの際に作られたという説もあるこれらの影絵人形は、衣服の模様を手間暇掛けて細かく切り抜いた「精工紗彫《せいこうしゃちょう》」を特徴とします。あまりに繊細で実演に使うと壊れる恐れがあるため、専ら舞台裏に掛けておいて、見学に来た観客に見せていたとされます。特に武将の鎧の造形が美しく、腰の前側に垂らす「魚踏尾《ぎょとうび》」（日本の大鎧でいう前草摺に相当します）が表現されていることが特筆されます。

影絵人形劇でも、京劇などの伝統劇と同様に、あらゆる人物を、生《せい》（男役）、旦《たん》（女役）、浄《じょう》（くまどり役。性格の際だった人物）、丑《ちゅう》（道化役）の四つの役まわりに――地域によって多少の違いはありますが――分類します。王府影絵人形の生、旦は、輪郭を残して切り抜く「空臉《くうれん》」で、眉と

▲⑥果王府の影絵人形

目尻が接続し、額の角度は比較的緩やかで鼻と一本の線になっています。あごはやや尖った形で、全体に三角形に近いイメージにデザインされます。この額からあごにかけての基本ラインは、浄や丑の頭とも共通していて、影絵人形の地域によるデザインの違いが最もよく出る部分です。

材質は馬の皮で、高さは四五センチ（一尺五寸）ほどになります。衣服の模様などの線は、両端が尖った「ノ」型の、「尖刀口」と呼ばれる彫刻方法で切り抜かれています。顔の輪郭には着色しません。

王府の影絵人形劇は、乾隆年間の終わり頃（十八世紀後半）に従来の老虎影《ろうこえい》から発展し、北京から河北省中部の保定にかけて行われた涿州影《たくしゅうえい》に属します。涿州影の人形は、六〇センチ（二尺）が一般的ですので、王府の人形は若干小型化していることになります。

道光年間（一八二一―一八五〇）になると、現在の河北省唐山市一帯から、灤州《らんしゅう》影、楽亭《らくてい》影（灤州、楽亭はともに唐山近辺の地名）などと呼ばれる影絵人形劇が北京に進出してきます。それら、冀東皮影戯（冀は河北省の略称）と総称される影絵人形劇は、北京内城の東側に定着して北京東派皮影戯を形成し、旧来の涿州影は北京西派皮影戯と呼ばれるようになります。

▼5 拙論「北京西派皮影戯錫慶班をめぐって――北京・冀中・冀東皮影戯形成史考」（『中国都市芸能研究』第十六輯、二〇一七年）参照。

▲⑦冀東皮影戯（唐山）

北京東派の劇団は、主に茶館で上演していました。一方北京西派は、満州貴族の堂会（家庭の慶事での上演）を主な収入源としていました。

冀東影＝北京東派と涿州影＝北京西派との間には、後述の人形の造形の違いのほか、前者が上演の際に舞台裏で台本を見ながら演じるのに対して、後者は台本を暗記しているといった相違点もありますが、台本に互換性があり、他の地域では一人が声色であらゆる役を演じ分けるのに対して、いずれも役まわりごとに別の芸人が唱う方式を採るなど共通点も多いので、涿州影が唐山一帯でアレンジされて冀東影が産み出されたと考えられます。[5]

冀東の影絵人形（⑦）は、サイズが二〇センチ強（七寸）と、かなり小さくなっています。生・旦の頭は、輪郭が黒く塗られており、額が直線的で比較的切り立っており、眉と目が丸く弧を描いて接続しています。一見すると涿州影と違うように思えますが、額と鼻を一本の線で処理するデザインは共通していますし、眉と目の造形も、河北省保定の涿州影の人形（⑧）などと並べてみると、やはり一脈通じていることがわかります。

▼⑧涿州影（保定）

▼⑨北京西派皮影戯大師哥

また冀東の旦は、製作された時代に流行していた結い方にデザインされているので、それによっていつ頃の人形なのかを判別することもできます。

冀東の影絵人形は驢馬の皮で作り、表面に桐油《ニス》を塗ります。このため人形を重ねて置いておくと、日本のような高温多湿の気候では、桐油が溶け出してくっついてしまいます（筆者は冀東の人形を、ホットクッキングシートで包んで、ドライボックスに入れて保管しています）。衣服の紋様などの線は、「斉刀口」と呼ばれる両端を切りそろえた「〃」型に改められ、よりはっきりと際だつようになっており、それがやがて北京西派の人形にも取り入れられます。

ところで、北京西派で「大師哥《ダーシーゴー》」（一番上の兄弟子）、冀東影で「大下巴《ダーシアバ》」（大きな下顎）と呼ばれる特殊な人形があります（⑨）。巨大な頭の三頭身の人形で、大きな下顎に大きな手という奇怪な姿をしています。北京西派では隻腕ですが、冀東影では片手を巨大に、もう片手を小さくデザインします。

中国では業界ごとに師祖（祖師爺）が決まっていて業界人の信仰を集めています。京劇などで老郎君が信仰されているのに対して、北京西派、冀東影はともに観音菩薩を祖師爺としています。その観音菩薩の一番弟子とされているので「大師哥」なのです。

北京・河北・東北影絵人形劇関連地図

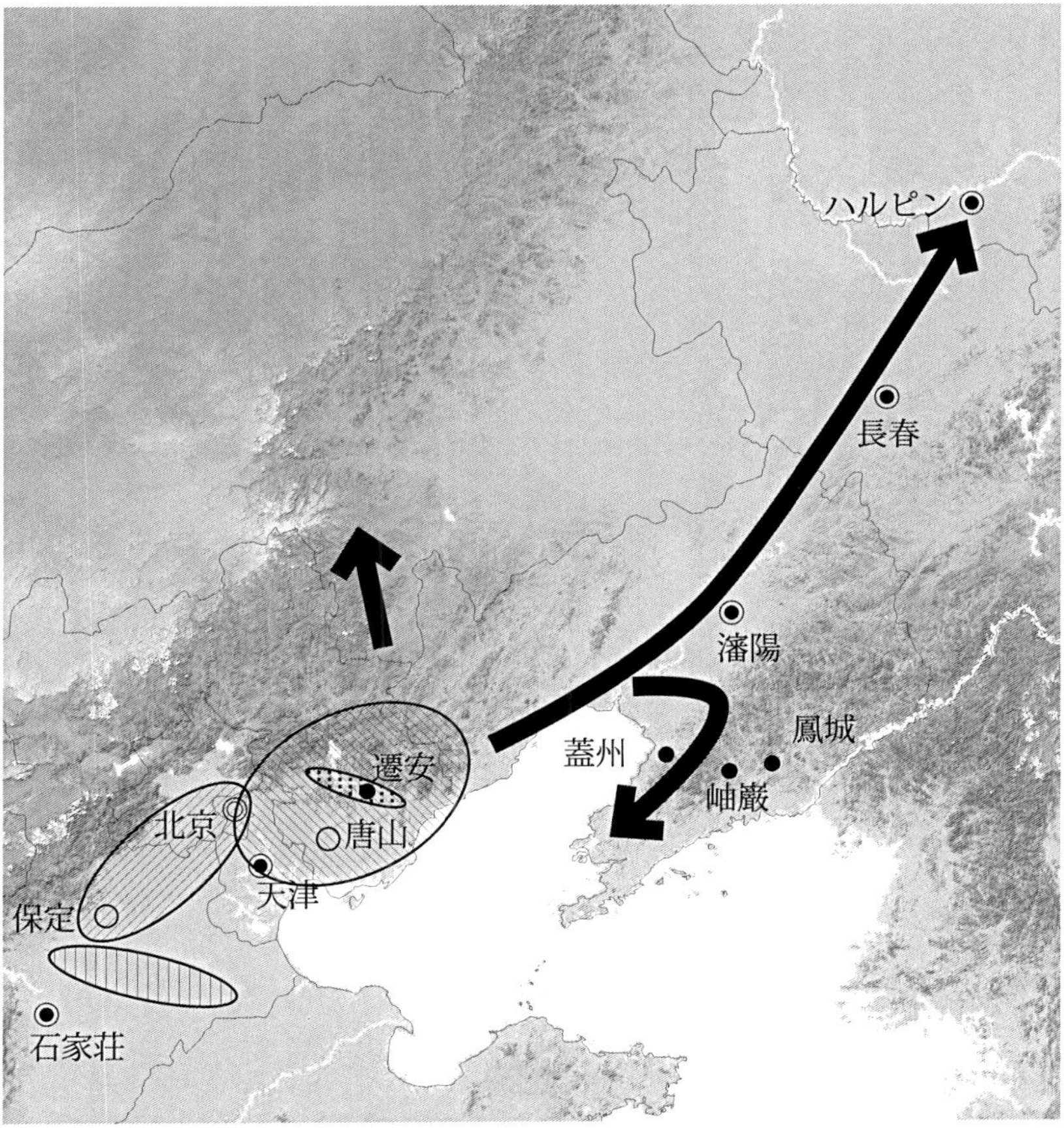

：北京西派皮影戯・涿州影流行地域

：老虎影流行地域

：福影流行地域

：冀東皮影戯流行地域（19 世紀中頃）

矢印 ：冀東皮影戯の伝播

この人形には、特定の役まわりが決まっておらず、芸人が観客の反応が悪いと感じたときに、任意の役まわりをこの人形に演じさせることで、笑いを取って盛り上げる、いうなればジョーカー的な作用を果たします。

さて、北京や冀東の影絵人形劇は、東北地方にも伝播しています。東北地方は満州族の故郷であるため、清代、移民の入植が禁止されていました。一方、満州族の貴族は東北にも領地を持っていたので、北京や河北との文化的な交流はあったと思われます。六〇センチ前後の大きさの影絵人形を用いる遼南大影（遼寧省）、江北影（黒竜江省）などは、清代中期以前から行われていたのでしょう。

十九世紀になると、人口増加や飢饉などの影響で、国禁を犯して東北に移住する人が増加しますが、ロシアに対抗する国防上の理由もあって、一八六〇年に東北地方への移民が正式に解禁されます。その結果、山東や河北から多くの人びとが東北に移住し、それに伴って冀東影も東北各地に伝播しました。

◀⑩遼南皮影戯（鳳城）

東北地方でとりわけ影絵人形劇が盛んだったのが、遼東半島の付け根の遼南地方の蓋州、岫巌《しゅうがん》、鳳城の一帯です。遼南の影絵人形⑩は冀東のものと似かよっていますが、

◀⑪雲南騰衝皮影戯

額の線が緩やかな弧を描き、角度が比較的寝ている点は、むしろ北京西派とあい通じています。たおやかな曲線的なデザインと細やかな彫刻が醸し出す優美さは、河北・東北の冀東系の影絵人形劇の中で群を抜いていると言えるでしょう。

ところで雲南省のミャンマー国境にほど近い地域で行われる騰衝《とうしょう》皮影戯（⑪）には、明の滅亡後、山海関を開いて清軍を引き入れた呉三桂が雲南に封ぜられた際に持ち込まれたものだ、との伝承があります。江玉祥氏は湖北門神譜（後述）の流れを汲むとしていますが、額と鼻を一本の線で処理するデザインには北京西派や冀東影と似ていますし、腕を肩の両側に接続するのは、後述する山西省孝義の紙窓影と同じです。案外、伝承は正しいのかもしれません。

五　陝西《せんせい》の影絵人形劇

陝西省は冀東と並ぶ、影絵人形劇が盛んな地域として知られています（二十一世紀に入ってかなり衰退しましたが）。その一端を示すのが、陝西における影絵人形劇の種類の多さです。▼6

▼6　以下の一覧および陝西の影絵人形の声腔については、山下一夫「陝西省南部における道情皮影戯の分布と伝播」（『中国都市芸能研究』第六輯、二〇〇七年）に基づく。

碗碗腔《わんわんこう》皮影戯、華陰老腔皮影戯、陝北道情皮影戯、阿宮腔《あきゅうこう》皮影戯、弦板腔皮影戯、秦腔皮影戯、灯盞頭《とうさんとう》碗碗腔皮影戯、関中道情皮影戯、灯影腔皮影戯、安康道情皮影戯、商洛道情皮影戯、月調皮影戯、漢調二黄皮影戯、八歩景皮影戯

これらは周辺地域にも伝播しています。

隴東《ろうとう》道情皮影戯（甘粛省環県）、霊宝道情皮影戯（河南省霊宝）、曲沃《きょくよく》碗碗腔皮影戯（山西省侯馬）、孝義碗碗腔皮影戯（山西省孝義）、蔚県《うつけん》灯影戯（河北省蔚県）

陝西省では秦腔という伝統演劇が盛んです。梆子腔《ほうしこう》という声腔を代表する劇種で、清の乾隆年間末（十八世紀後半）に北京に進出して大流行しています。北京での上演の記録から、乾隆年間の秦腔の主伴奏楽器は月琴（琵琶の一種で胴が丸い）だったようですが、後に二胡の一種、板胡が主伴奏となりました。▼7 このように、秦腔は時代とともに進化しており、その途中段階の声腔が、影絵人形劇に保存されていると考えられます。

ただし、安康市の東側、湖北省境に近い旬陽《じゅんよう》一帯で行われる月調皮影戯と漢調二黄皮影戯、そして八歩景皮影戯は別で、月調皮影戯は河南省の伝統演劇、越調の音楽を唄い、漢調二黄皮影戯は京劇と同じ皮黄腔を用いていますし、八歩景は民間の説唱芸能（謡いもの）を取り入れたものです。いずれも影絵人形のデザインは陝西のものな

▼7 吉川良和『北京における現代伝統演劇の曙光』（創文社、二〇一二年）一九七頁参照。

陝西影絵人形劇関連地図

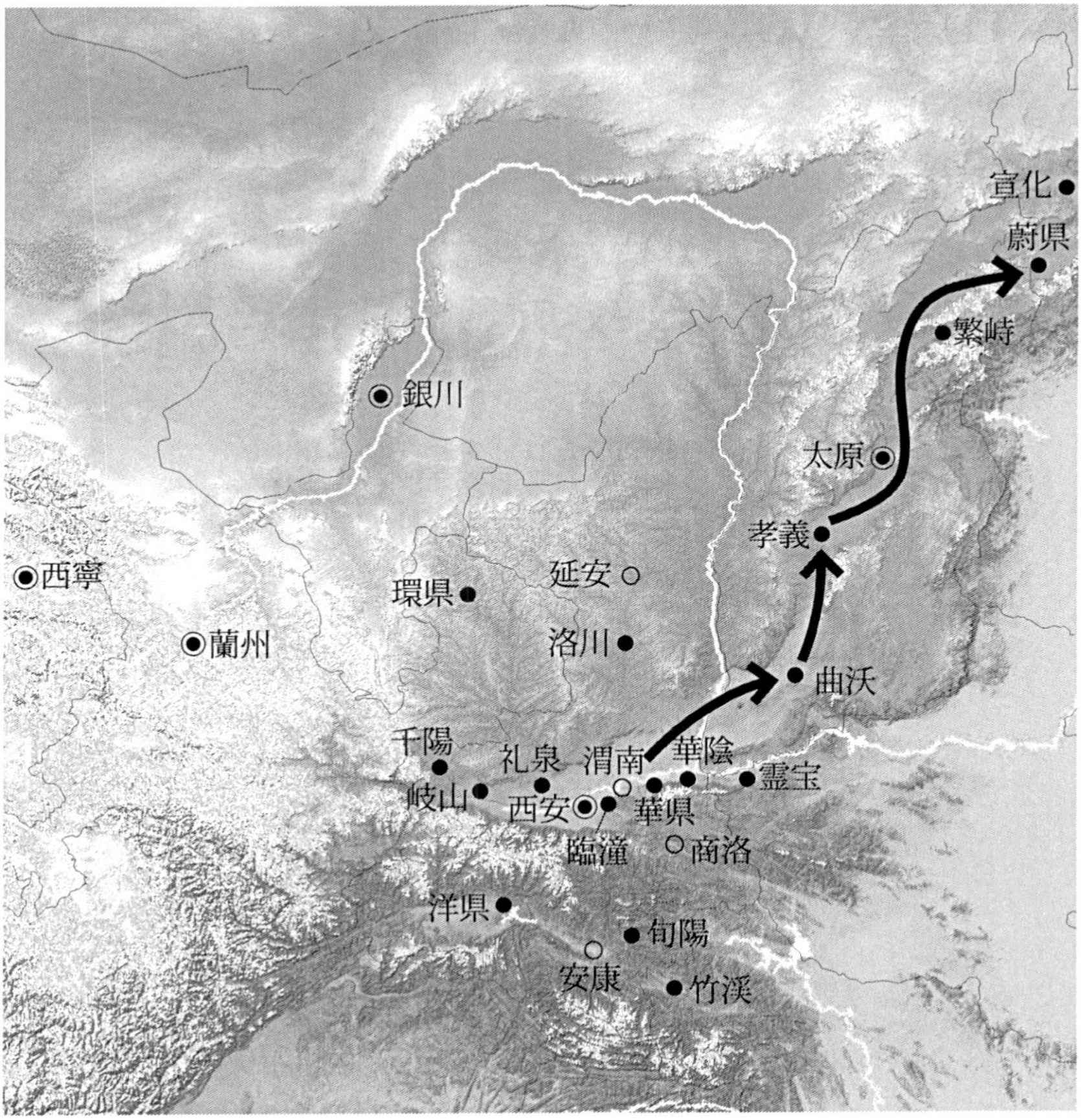

矢印：碗碗腔皮影戯の伝播経路

ので、現地に伝播した秦腔系の影絵人形劇が、やがて流行するようになったそれらの演劇の声腔を取り入れたのでしょう。

陝西の影絵人形劇は種類こそ多いものの、使われる影絵人形のデザインは基本的に共通しています。頭は、額がでっぱり、鼻根がくぼみ、あごが角ばり、全体に四角いシルエットになっています。生、旦の眉や目尻の線は、鬢と繋がっています。髭は、馬の尾などの毛を膠で接着して作りますが、浄や丑には、皮を髭の形に彫刻したものもあります。

衣服などの模様は細かく彫刻されますが、彫刻刀で彫るわけではなく、専用の穴開けパンチでくり抜いたものです。北京の王府の「精工紗彫」は実演に使われませんでしたが、それは北京や河北、東北の影絵人形劇が、馬皮や驢馬皮の柔軟性を生かして、立ち回りなどで胴体をねじるような操作を行うからで、陝西の場合は素材が厚い牛皮で柔軟性に欠けるため、そもそもねじるのが困難です。硬くて丈夫なので、細かく模様を彫刻した胴体であっても実演に使うことができます。

陝西の影絵人形は、東路、西路の二つに分類されます。東路は西安の東側、現在の渭南市を中心とする地域のもので、主に碗碗腔皮影戯で使われます。東路の影絵人形(12)は、頭の造形は線が細くて優美な曲線を描き、髪や胴体の彫刻も細かく、非常

◀⑫陝西皮影戲（東路）

に美しくデザインされています。サイズは、二四センチ（八寸）前後と小型です。

清代、華県を含む同州府（現在の渭南市）は、西安と河南、山西を結ぶルート上に位置していたため経済活動の一大拠点になっており、秦腔の祖型の一つである同州梆子が形成されるなど、演劇も盛んでした。おそらくこの同州の商業資本が、影絵人形劇の洗練に一役買ったのでしょう。

陝西東路の影絵人形は審美的価値が高いため、コレクターズアイテムにもなっています。とりわけ価値が高いのが「灰皮《ホイピー》」と呼ばれる清代の人形で、牛の皮が薄い黄色を帯びるのに対して、やや白みがかった何らかの動物の皮革を使っており、造形、彫刻ともに非常に高い水準にあります。

西路は、西安よりも西の地域のものを指します。基本的なデザインは東路と同じですが、サイズが三六センチ（一尺二寸）とやや大ぶりです。全体に造形がいささかいびつで、作りが粗く、審美的価値が落ちます。陝西南部の漢中や安康、陝西北部の影絵人形の造形も、大きさが小さいのを除けば、西路と似たような特色を持っていますので、むしろ陝西の中で東路の影絵人形だけが突出して美しい、と言うべきでしょう。

デザインの美しさで知られる陝西の影絵人形は、他の地域の影絵人形劇にも影響を与えています。例えば、湖南省木偶皮影芸術劇院で使われている人形は、陝西風のものをアレンジしたデザインになっています。同劇院は児童影絵人形劇で知られ、現代影絵人形劇の代表演目である「亀と鶴」を初演しています。[8] 同劇院では湖南皮影戯の粗野な風格を嫌い、全国の影絵人形の長所を寄せ集めて新たなスタイルを編みだしましたが、その際に、主に陝西のデザインが参照されたのです。[9]

また、陝西の影絵人形劇は、何度か映画に登場しています。胡楊監督の『何班主和他的情人(何《か》団長とその愛人)』(一九九二年)は、影絵人形劇団団長の何さんと未亡人との許されぬ恋の顛末を、文化大革命、改革開放などの時代背景のもと、描いています。

張芸謀《チャン・イーモウ》監督が国際的評価を受けるきっかけとなった『活きる』(一九九四年)は、賭博に明け暮れた主人公が影絵人形劇芸人に身を落とし、時代に翻弄されながらも生き延びていく姿を描いていますが、劇中で使われているのは、華県の碗碗腔皮影戯です。影絵人形劇は原作の小説に出てきませんが、色彩豊かな中華的エレメントとして、付け加えられたようです。その結果、余華の原作小説に描かれた江西省の現実が、映画の舞台として想定される東北地方で、[10] 陝西の影絵人形劇とともに展開する、キメラな劇中世界が形作られています。映画としての評価はさておき、張芸謀監督の中国伝統

▼8 山下一夫「中国の影絵人形劇の改革とオブラスツォーフ」(『中国都市芸能研究』第十二輯、二〇一三年)参照。

▼9 元湖南省木偶皮影芸術劇院脚本の李軍氏による。拙著「湖南影戯研究の現状と課題」(『中国都市芸能研究』第五輯、二〇〇六年)参照。

▼10 同映画の日本配給元であるドラゴン・フィルムの担当者による。

文化を恣意的に運用する態度は、決して褒められたものではありません。

六　隻腕の影絵人形

北京・河北や陝西の影絵人形は、デザインや大きさに違いがありますが、しかし基本的な構造はほぼ一致しています。頭は取り外し可能で、胴体は胸部と、腰と太腿が一体化したパーツからなり、そこに上腕、前腕、手からなる腕、下腿が接合されます。腰と太腿を一体化している点が、人の身体との違いになります。これは一つには、中華伝統衣服である袍や裙を表現しているためでしょう。各地の皮影戯に特例的に存在する上腿パーツを持つ影絵人形は、立ち回り用の人形や、下僕・下女の人形など、いずれもズボンを着用したものです。このほか、人形操作上の理由も考えられます。影絵人形の操作棒は胴体と手に接合され、足は胴体の反動で揺らして動かすので、太腿がない方が操作の手間がかかりません。こうした基本構造は、各地域の影絵人形で概ね共有されており、中国の影絵人形劇が共通のルーツを持つことを窺わせます。

おおまかな構造を共有する一方で、各地の影絵人形にはさまざまな相違点もあります。その最たるものが、腕の数です。

山西省孝義は影絵人形劇が盛んで、清末に陝西から流入した碗碗腔皮影戯のほか、

◀⑬孝義紙窓影上演風景

◀⑭孝義紙窓影（右から、楊任、哪吒、趙公明、瓊霄）

それ以前から現地で演じられていた紙窓影《しそうえい》（皮腔皮影戯とも）が残っています（⑬）。影絵を投影するスクリーンに、碗碗腔が紗を使うのに対して、紙を使っていたため、このように呼ばれています。なお、紙のスクリーンは、かつて全国のほとんどの影絵人形劇で使われていましたが、十九世紀以降、布を使うところが増えています。

さて、紙窓影の特徴の一つに、レパートリーが明末の神怪小説『封神演義』の物語に限られる点があります。空を飛んだり術を使ったりという、人の演ずる演劇では困難な表現を、影絵人形劇はむしろ得意としますので、神仙や妖怪が術を戦わせる『封神演義』は、まさしくうってつけの題材です。

紙窓影の最も古い上演記録は、孝義の四平影戯班が河北省宣化の源楽楼の壁に書き付けた嘉慶十四（一八〇九）年の題記ですが[11]、上演演目は「鬧朝歌」「黄河陣」「五賢牌」「雅観楼」で、『封神演義』もの以外も入っています。『封神演義』が全国的に大流行するのは、清の康熙三十四（一六九五）年序のある四雪草堂本刊行以後のことであることを考慮すると、十八世紀に『封神演義』の演目が導入され、観客の反応が良かったことから、十九世紀にかけて徐々に特化していったのでしょう。

なお、河北省の遷安一帯で冀東皮影戯以前から行われていた古い影絵人形劇である福影も、ほぼ『封神演義』だけを演じていました。[12] 紙窓影と北京・河北の影絵人形劇は、いずれも観音菩薩を祖師爺として崇拝するなど共通点が見られますので、何らかの交流があったのか、あるいは共通のルーツを持つのかもしれません。

さて、紙窓影の人形⑭は牛皮で作られ、高さは六〇センチ前後になります。『封神演義』の登場人物一人ひとりに専用の人形が作られていますが、身体や衣服、持ち物などに特徴のある、神仙や仏菩薩、神話的人物、妖怪変化の類が大挙登場しますので、汎用の人形で済ますことができなかったのでしょう。

紙窓影のデザイン上の特徴として、隻腕であることが挙げられます。もっとも、全ての人形が隻腕というわけではなく、立ち回りに使われるものは二本腕になっており、直接戦闘を行わない神仙や文官が隻腕にデザインされます。前に紹介した北京西派の「大師哥」も隻腕でしたが、これらに限らず、隻腕の人形を使う影絵人形劇は全国各地に分布しています。

冀南皮影戯（河北省）、山亭皮影戯（山東省）、定陶皮影戯（山東省）、海寧皮影戯（浙江省）、門神譜皮影戯（湖北省）、成都皮影戯（四川省）、皖南《かんなん》小影（安徽省）[13]、騰衝皮影戯（雲南省）、潮州皮影戯（広東省）、台湾皮影戯

▼11 朱景義・朱文『孝義皮影戯史話』（山西古籍出版社、二〇〇六年）三二頁参照。

▼12 王大勇「福影調査記」（『唐山戯曲資料匯編』第三集、一九八六年）参照。

▼13 「皖南皮影戯考――伝播・変容・特色」（『近現代中国の芸能と社会――皮影戯・京劇・説唱』、好文出版、二〇一三年）参照。

これらのうち、山東省西部の定陶皮影戯と、それが伝播した河北省邯鄲の冀南皮影戯は、造形が紙窓影と似ています。そして、清代における影絵人形劇の伝播を考える上でとりわけ重要なのが、次章で取り上げる湖北省の門神譜です。

七 移民と影絵人形劇

湖北省には多種多様な影絵人形劇があります。花鼓戯、荊河戯《けいがぎ》、道情、漢調二黄など声腔の違いによって十種類ほどに分類され、劇団構成も七～九人を要するものもあれば、一人だけで即興的に上演されるものもあります。

影絵人形の方はもうちょっと単純で、三種類に大別されます。▼14 一つが「魏譜」で、湖北省北西の襄陽から山間部にかけて行われているものです。三〇センチほどのサイズで、陝西の流れを汲むデザインです。二つ目が「漢口皮影」で、武漢の北および東の地域に分布しています。サイズは五六センチ前後で、人形の特徴は次に述べる門神譜とほぼ共通しています。

残る一つが「門神譜」⑮です。人形の素材は牛の皮で、七二センチ（二尺二寸）前後と大きく、長江、漢水流域の江漢平原一帯の仙桃《せんとう》、雲夢《うんぼう》などの影絵人形劇で使われています。頭の造形は、鼻根がくぼみ、額とあごが丸みを帯び、全体としてソラマ

▼14 江玉祥『中国影戯与民俗』（淑馨出版社、一九九九年）二〇二頁。

▼15 江玉祥前掲書二〇三頁。

▲⑮湖北門神譜（右・遠安、中・左・仙桃）

メのような形になっており、冠や帽子が取り外し可能です。線は太く、デザインも精密とは言いがたく、粗野な印象を受けます。

この門神譜と比較的近い特徴を持つのが四川省の成都灯影（⑯）で、人形の大きさは四〇―八〇センチで、冠、帽子が取り外し可能であるなどの特徴が共通しています。▼15 また、胴体に取り付ける操作棒「命棍」の位置は、門神譜は体の前後どちら向きにも取り付け可能とされていますが、画像資料を見ると後向きに付けることが多いようですので、この点も、成都灯影と同じです。頭のデザインについては、成都灯影の方があごが引っ込んでおり、彫刻もより繊細ですが、髭に実際の毛を用いる点が門神譜と共通しています。一方、腕は、全ての人形で二本になっています。

清代は、大規模な移民の時代でもありました。清の初めは、李自成の反乱の掃討や、それに続く三藩の乱などの戦乱が続きましたが、とりわけ大きな被害を受けたのが四川です。李自成の盟友、張献忠が拠点としたことで、清朝との壮絶な戦いが繰り広げられ、その結果、四川の人口は激減します。清朝側は、張献忠が殺人マニアで四川の人を殺しまくっ

▲⑯成都灯影

たと宣伝していますが、おそらく清朝側が行った虐殺の責任もまとめて敗者に被せたのでしょう。三藩の乱でも、四川は戦場になっています。

明末、四川の人口は三百〜四百万人ほどだったのが、清代の初めには、五十万人ほどに減ったと推計されています。比較的損害が軽かった自貢など南部一帯を除いて、四川は都市に若干の住民がいるだけで、農村から人煙が絶えました。

康熙二〇（一六八一）年に三藩の乱が平定されると、清朝は移民による四川の復興を大々的に推し進めます。当初は、長江下流域の江南地方、それと客家《はっか》の人びとが移住しました。十八世紀半ば頃には、人口増加の著しい湖北や湖南、広東などからも、余剰人口が移民として四川に流入するようになり、「湖広、四川を填《み》たす」と呼ばれる状況になります。四川の影絵人形劇は、そうした後発移民によって、四川に移民する際のゲートウェイであった湖北から持ち込まれたと思われます。

なお四川には、このほか川北灯影もありますが、こちらは陝西から伝播したものです。

ところで、陝西の影絵人形は、「命棍」が首の後ろに接続され、頭に動物の毛を貼

湖北・河南影絵人形劇関連地図

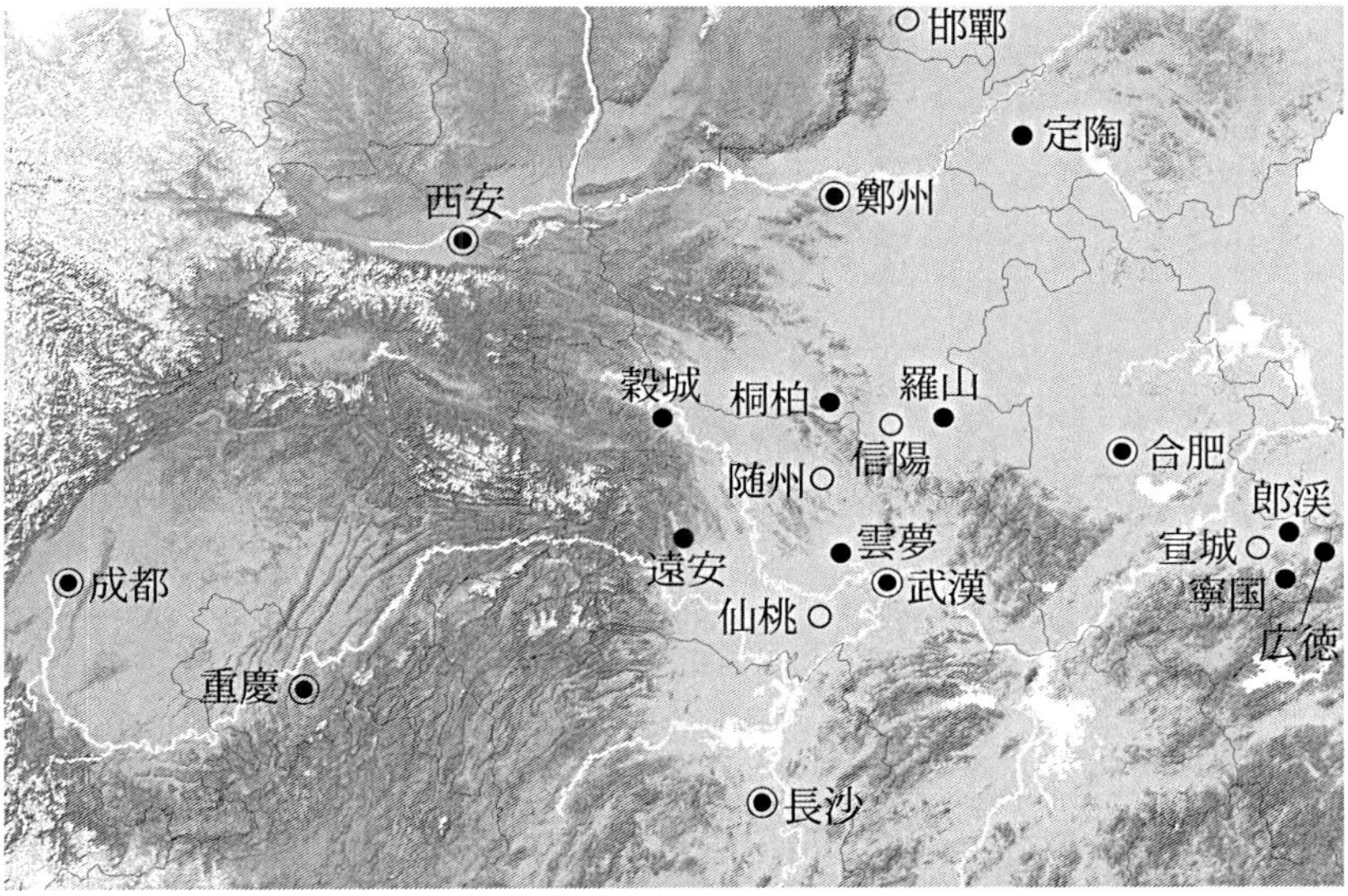

台湾皮影戯関連地図

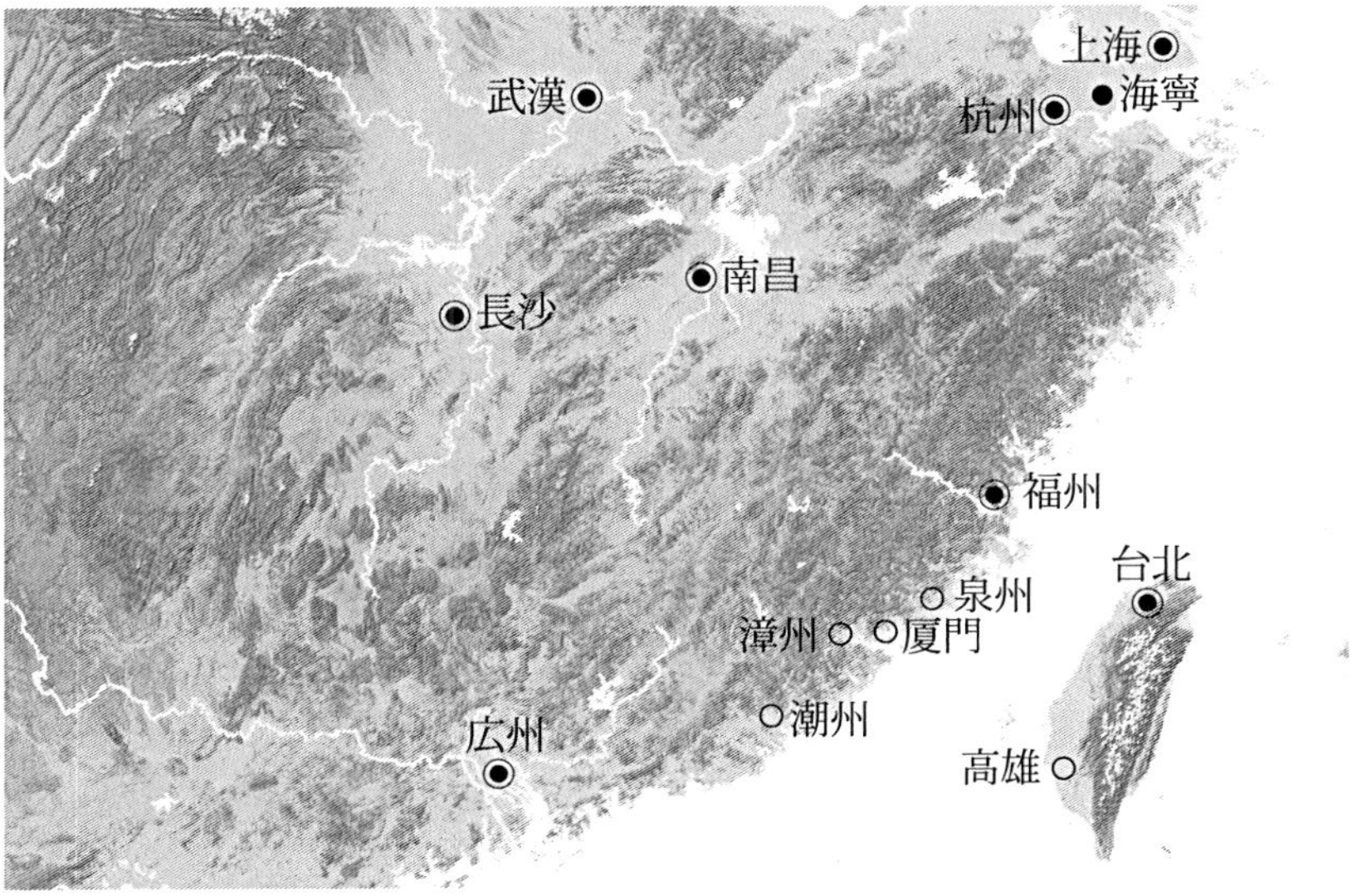

▲⑰豫南皮影戯（右・中…羅山、左…桐柏）

りつけて髭を作る点などが、門神譜や成都灯影と共通しています。清代の演劇史において、陝西は梆子腔の中心地、湖北は皮黄腔を構成する西皮調が形成された地としてそれぞれ知られており、しかも梆子腔と皮黄腔は相互に影響しあいつつ発展したと考えられています。陝西省東部の同州梆子には、李自成の軍楽に採用されて、湖北など各地に伝播したという伝承がありますし、陝西華陰県の老腔皮影戯の音楽は、湖北からやってきた船頭歌の影響を受けていると言われています。こうした伝承が事実であるか否かはさておき、伝承の存在そのものが両地域の間に密接な演劇文化交流が存在したことを物語っていると言えますので、影絵人形についても陝西と湖北との間に繋がりがあっても不思議はありません。

さて、清代末期、一八五一年に太平天国の乱が勃発します。広西で挙兵した太平天国は一八五三年に南京を攻略すると、天京と改称して首都に定めます。その後、一八六四年の南京陥落まで、足かけ十年以上にわたって、南京周辺地域では太平天国軍と清軍との攻防戦が繰り広げられます。

とりわけ被害が甚大だったのが、安徽省南部、皖南地方の宣城、広徳、寧国一帯です。研究によると、一八五五年の宣城の人口は約三一万人でしたが、

◀⑱皖南皮影戯上演風景

太平天国の乱後の一八六五年には、わずか六三二六人にまで激減しています。

ここでも、戦後復興のために移民政策が採られます。移民が募集されたのは、大別山を夾んだ河南省南部と湖北省北部の一帯ですが、この地域では、影絵人形劇が盛行していました。湖北省北部は門神譜や漢口皮影の地盤ですし、河南省南部、信陽地区の桐柏《とうはく》、羅山一帯では、豫南《よなん》皮影戯が行われています。

豫南皮影戯の音楽は特定の声腔ではなく、民歌などから吸収した音楽だといいます。影絵人形（⑰）は、頭が目鼻をくり抜かずに描く「実臉《じつれん》」になっていますが、冠、帽子が取り外し可能なのは門神譜と似ています。一方、腕が二本で、命棍が前側に接続されるなど、人形の造形には湖北との相違も多々見られます。

移民を通じて皖南には、豫南皮影戯、漢口皮影戯、雲夢の門神譜が流入しました（⑱）。移民が出身地ごとに集住する傾向があったため、広徳では豫南皮影戯、宣州、寧国、郎渓一帯では門神譜を用いる影絵人形劇が演じられました。漢口皮影戯は、かつて広徳、郎渓一帯で行われていましたが、既に滅んでいます。

東北移民による冀東影の伝播も含めて、人頭税の廃止によって人口が爆発的に増加した清代には、大規模移民による地域文化の移動と交流が、空前の規模で発生したのです。

八 潮州・台湾の影絵人形劇

台湾の影絵人形劇、台湾皮影戯も、清代の移民活動の結果、台湾にもたらされたものです。台湾に移民したのは、多くが福建省南部から広東省東部にかけての人びとでしたのが、台湾に伝わった影絵人形劇は、広東省東部で行われている潮州皮影戯でした。[16] 台南市普済殿の嘉慶二四（一八一九）年の『重興碑記』が、台湾皮影戯の最も古い上演記録ですので、台湾への伝播はそれよりも早かったことになります。

台湾皮影戯（以下、潮州皮影戯も含めて台湾皮影戯と呼びます）の人形⑲は、いくつかの他には見られない特色を持っています。

人形のサイズは三十センチ（一尺）ほどで、素材に水牛の皮を使います。頭は空臉で、額は少しだけ丸く突き出て鼻根はくぼみ、あごは引っ込んでいます。眉と目は平行にデザインされ、髭は彫刻されます。胴体は隻腕ですが、旦は腕を布で作ることもあります。足は旦は隻脚、その他は双脚です。

立ち回り用の人形⑳では、腕は二本で、そのうち一本は上腕と前腕を一体化させています。足も二本ですが、一本は上腿と下腿の二つの

▼16 山下一夫「台湾の人形劇──野外上演から『東離劍遊紀』まで」（本書所収）二九―三二頁参照。

▲⑲台湾皮影戯

▼17 崔金華『海寧皮影戯（図文版）』（山西古籍出版社、二〇〇七年）四頁参照。

▲⑳台湾皮影戯『火炎山』

パーツからなり、一本は上腿と下腿が一体化しています。前述のように、中国の影絵人形は、胸、腰＋上腿、下腿、という作り方が一般的であり、上腿を独立させた設計の人形が多用されるのも珍しいですが、左右の足や手の関節の数が異なるのも極めて稀です。この構造では、足を大きく開いて踏ん張るような動作ができるので、立ち回りに独特の迫力が生まれます。

面白いのが命棍の接続方法です。命棍は胸のあたりに穴を空け、細い棒を差し込んで接着します。このため、スクリーン上で人形が方向転換できず、左向きと右向き、二種類の人形が必要になります。命棍は腕パーツを貫いて胴体に接続されるので、命棍を軸に、体全体や腕を回転できるので、立ち回りのシーンで、トンボをきったり、腕を振り回したりといった動きを簡単に表現できます。

台湾皮影戯では、潮州の伝統演劇である潮劇の音楽が使われますが、影絵人形がどこから伝わったものであるのかは、今ひとつはっきりとしません。

福建・広東に隣接する地域では、浙江省と湖南省に影絵人形劇があります。

浙江省では、嘉興市の海寧で影絵人形劇が行われています（㉑）。人形は、頭、胴体ともに、目鼻や模様を一切彫刻せずに、全て描くという特色があります。素材には、以前は羊皮が、現在は牛皮が使われています。隻腕、隻脚で、胴体や腕、足パーツの

◀㉑海寧皮影戯

◀㉒湖南皮影戯

接合部分は、他の地域では一方を車輪状に彫刻して影が濃くなるのを防ぐのが一般的ですが、海寧皮影戯では彫刻していないパーツをそのまま重ねて、接合します。命棍は首の前の部分に、アヒルの太い羽の根を糸でくくりつけ、そこに竹棒を差し込みます。

こうした人形の作り方は、周密の『武林旧事』に見える影絵人形劇団「絵革社《かいかくしゃ》」の伝統を受け継ぐものだとする説もありますが、海寧で影絵人形の頭が「紙人頭」と呼ばれていることは[17]、海寧で紙から皮革への素材の切り替えがあったこと、そして模様を彫刻せずに描き、接合部分を単純に重ねるのは、素材が紙であった名残であることを意味すると思われますので、既に皮革を彫刻していた南宋の影絵人形劇と直接に結びつくとは考えにくいです。

台湾皮影戯と比較すると、隻腕という共通点は見られますが、人形のデザインや造形が大きく異なっているので、両者の間に直接の影響関係は認められません。

湖南省では、湘江流域の各地で影絵人形劇が行われており、一部は江西省南昌付近にも伝播しています。湖南の影絵人形（㉒）は、もとは水牛で作られていましたが、後に厚紙を重ねて作ったフレームで薄紙を夾んで接着する、「夾紙《きょうし》」という作り方に

▲㉓台湾皮影戯の命棍

▲㉔紙窓影の命棍（線でトレース）

改められました。頭は実瞼で、ほとんどが斜め前を向いた「七分瞼」「八分瞼」にデザインされ、冠、帽子は取りはずせます。

湖南の影絵人形劇は湖北省から伝播したもので、その時期は十九世紀末から二十世紀初め、つまりは太平天国の乱の終結後です。その意味で、湖南と安徽南部の影絵人形劇の生い立ちには似た点があるといえますが、いずれにせよ、台湾皮影戯よりも遅い時代の成立です。

台湾皮影戯の来歴を考える材料となるのが、命棍（㉓）です。命棍の接続位置は、北京西派、冀東影、陝西影などでは、前後の別はありますが、いずれも首の端に針金の輪を通します。それによって人形の左右の転換を可能にしているわけです。前述の隻腕の影絵人形を使う山西の紙窓影、湖北の門神譜や漢口皮影、それと近しい関係にある豫南皮影戯、成都灯影などでは接続位置がもう少し低く、胸のあたりになります。さらに紙窓影の人形の画像資料（㉔）を見ると、命棍が胴体の外側にはみ出していない、つまり方向転換できないような接続方法になっていることがわかります。ともなると、隻腕の影絵人形は、もともと胸の部分で命棍を接続し方向転換できなかったのが、後に操作棒の形状や接続位置を改良して、方向転換できるように進化した可能性が高いと言えるでしょう。頭の造形についても、台湾皮影戯の鼻根がへこみ、あごが引いたデザインは、成都灯影などといささか通じるところがあります。

また台湾皮影戯には「大頭坎《だいとうかん》」と呼ばれる、額の突き出た異様な姿で、オールマイティーにあらゆる役まわりを演じられる人形があります(㉕)。こうした作用は、北京西派や冀東影の「大師哥」と奇しくも付合しています。

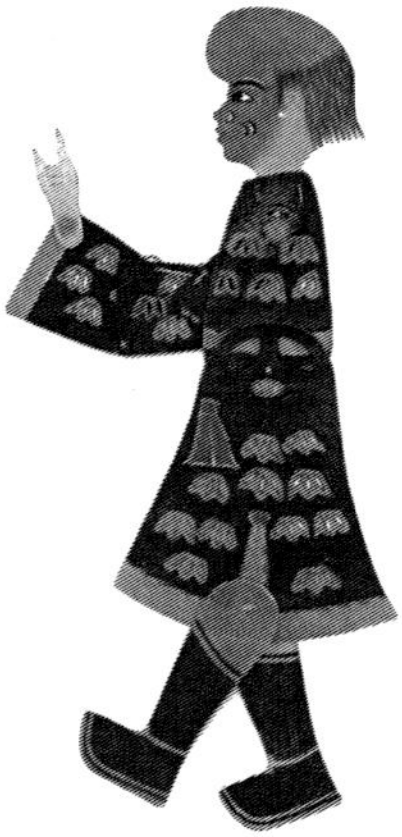
▲㉕大頭坎

これらの手がかりから考えるに、台湾皮影戯の人形は、清初以前に広い範囲で行われていた隻腕の影絵人形の流れを汲む可能性が高いと思われます。一方で、他には見られない特徴も多いので、比較的早い時期に潮州一帯に伝播して分化し、独自の発展を遂げたのでしょう。

九　おわりに

以上、駆け足で中華圏の影絵人形劇の歴史と、影絵人形デザインの系譜、そして台湾皮影戯の由来について、概観してきました。中国の従来の研究では、江玉祥氏が提唱した「影系」という分類に基づいて論じられることが多かったのですが、本稿では筆者のこれまでの影絵人形劇研究をふまえて、その分類を多くの箇所で修正するとともに、これまで漠然と「古中原皮影」などと呼ばれてきたものを、隻腕の影絵人形として性格を絞り込むなど、新たな視点も提供したつもりです。

とはいえ、本稿で中華圏の全ての影絵人形劇を網羅したわけではありませんし、検討すべき問題もたくさん残っていますので、あくまでも現時点における中間的な総括であるとお考えください。

中国では、影絵人形劇が二〇一一年にユネスコの無形文化遺産に登録されたのを期に、それをいかに観光産業に組み込み換金するか、各地で狂騒が起きています。こうした狂騒は、往々にして、学術的な研究成果をふまえない伝統の偽造や、本来の生態系から切り離した伝統芸能の鉢植え化といった事態を招き、ひいては伝統芸能の死を早めることすらあります。台湾においても、影絵人形劇団は減少の一途をたどっており、上演の機会も年々減少していますので、中華圏の伝統的影絵人形劇の将来は楽観できません。

そうした中で、二十一世紀になってから、中国でも台湾でも、影絵人形劇を取り上げた学位論文の数が増えており、しっかりとしたフィールドワークを行った優秀な研究も見られるようになったのは、一筋の光明でしょう。そうした若手研究者が、伝統芸能のあり方を記録するだけでなく、伝統の継承や保護という面でも積極的な作用を果たしてくれることを祈るばかりです。

画像出典一覧

熊谷正『アジア影絵人形芝居探訪』（STUDIO BEARS、二〇一一年）……①②

『中国美術全集　工芸美術編12　民間玩具剪紙皮影』（人民美術出版社、一九八八年）……⑤⑥⑦

魏立群『中国皮影戯全集』（中国文物出版社、二〇一五年）……③⑧⑪

朱景義・朱文『孝義皮影戯史話』（山西古籍出版社、二〇〇六年）……④⑭㉔

劉季霖『中国皮影戯（英文版）』（朝華出版社、一九八八年）……⑨

沈文翔・陸萍『陝西皮影珍賞』（文匯出版社、二〇〇七年）……⑫

『民間美術』（湖北美術出版社、一九九九年）……⑮

Rainald Simon, *Das Chinesische Schattentheater*（皮影戯）, Offenbach am Main: DLM Deutsches Ledermuseum/Schuhmuseum Offenbach, 1986……⑯

湖南省木偶皮影藝術劇院編『湖湘木偶与皮影』（湖南美術出版社、二〇一一年）……㉒

孫建君主編『中国民間美術全集12　遊芸編・木偶皮影巻』（山東教育出版社・山東友誼出版社、一九九五年）……⑰

国立歴史博物館編集委員会編輯『照光弄影：影戯文化展』（国立歴史博物館、二〇一〇年）……⑲

筆者撮影・個人蔵……⑩⑬⑱⑳㉑㉓㉕

台湾「健康写実映画」と一九三〇年代上海映画

吉川 龍生（よしかわ・たつお）

一 はじめに

二〇一八年も、日本のいくつかの都市で台湾映画の特集上映が行われました。そのプログラムの中で大きな割合を占めたのは、いわゆる「台湾ニューシネマ」の作品たちでした。監督で言えば、侯孝賢《ホウ・シャオシェン》（一九四七―）や楊徳昌《エドワード・ヤン》（一九四七―二〇〇七）らが、その中心と言っていいでしょう。その「台湾ニューシネマ」につづく映画製作を準備したものとしてしばしば言及されるのが、いわゆる「健康写実映画」で、一九六〇年代に始まります。一九六三年に、中央電影公司（以下、中影）のトップに就いた龔弘（一九一五―二〇〇四）が、中影の映画製作方針として打ち出したものです。この方針を体現した代表作としては、『海辺の女たち（原題・蚵女）』（李嘉・李行監督、一九六四年）や『あひるを飼う家（原題・養鴨人家）』（李行監督、一九六五年）が挙げられます。侯孝賢の初期の作品が「健康写実映画」の作品に通じるところがあることや、『恋恋風塵（原題同じ）』（侯孝賢監督、一九八七年）に『あひるを飼う家』が引用されるなど「少なからぬ因縁がある」ことも知られています。[1]

「健康写実映画」の「写実」とはリアリズムのことですが、このリアリズムの部分は一九四〇年代から五〇年代にかけて世界的な影響を与えたイタリアのネオレアリズモからの影響を受けていることが当時から論じられていて、『自転車泥棒（英題・The Bicycle Thief）』（ヴィットリオ・デ・シーカ監督、一九四八年）などの作品がしばしば言及されています。そして、リアリズムは社会の暗部を描くことに重点があるため、「健康」という言葉とは結び付かないという批判も、「健康写実」が提唱された当時からありました。この「健康写実映画」の「健康」と「写実」のミスマッチという文脈で、一九三〇年代の上海映画も、社会の暗部を暴く左翼映画のリアリズムとして言及されることがあります。[2] 中国映画のリアリズムということでは一九三〇年代の上海映画が最も早いものですが、上海映画のリアリズムは左翼映画であって、左翼的な観点から社会の暗部を批判することに重点があり、「健康写実映画」は「健康」というところがポイントで左翼のそれとは違うものだ、という議論が行われてきたわけです。「健康写実映画」と上海映画との関係性よりも、イタリア映画との関係性のほうがはるかに重視されてきたのです。

▼1　宇田川幸洋「健康写実主義と李行――『川の流れに草は青々』以前」（『キネマ旬報』第一一二八号、一九九四年四月）、一八四―一八五頁。

▼2　兪㛹衢（整理）「時代的断章――『一九六〇年代台湾健康写実影片之意涵』座談会」（『電影欣賞』第十二巻第六期、一九九四年）など。

▼3 吉川龍生「孫瑜映画の脚——脚の表象に見る一九三〇年代の孫瑜映画——」（『慶應義塾大学日吉紀要 中国研究』第三号、二〇一〇年）。

しかし、一九三〇年代上海のいわゆる「左翼映画」について研究してきた立場からすると、一九三〇年代当時上海で製作されていた中国国産映画をひと括りに「左翼映画」として分類して詳しく比較検討しないのは、やや荒削りな議論であるように思います。とりわけ近年は、「左翼映画」という括り方が、中国共産党の映画史観に基づくかなり恣意的な分類であることが指摘されています。すでに別稿で言及したことですが、一九三〇年代の上海「左翼映画」の代表的な映画監督とされる孫瑜（一九〇〇—一九九〇）の作品が、今まで論じられてきたほどリアリズム的性格が強くなく、むしろ理想郷的な農村表象と肉体美が強調された身体表象などを伴ったメロドラマ形式にその特徴があることも明らかになっています。▼3『海辺の女たち』や『あひるを飼う家』には、まさに孫瑜監督が一九三〇年代に上海で製作した作品と共通する性格を見て取ることができると考えられます。リアリズムであるという思い込みで見ると孫瑜映画と「健康写実映画」が結び付くことはないわけですが、少し見方を変えてみると、両者にはかなり似通った面があるということなのです。

したがって本稿では、まず「左翼映画」と「健康写実映画」の登場してきた歴史的文脈について、孫瑜監督の生い立ちにも言及しつつ紹介します。次に、「左翼映画」とされてきた作品群における孫瑜監督作品の特異性をリアリズムとメロドラマ形式から指摘し、「健康写実映画」の代表作と目される『海辺の女たち』『あひるを飼う家』との具体的な比較・対照を行います。その上で、両者の類似性の背後に存在する文化的・社会的要因について、メロドラマとアイデンティティの観点から考察していきたいと思います。

二 伝統的イマジネーションからの独立

孫瑜は、一九〇〇年重慶に生まれ、南開中学から当時アメリカ留学のための準備学校であった北京の清華学校に進学し、一九二三年にウィスコンシン大学に留学しました。留学前からアメリカで映画製作を学ぶことを心に決めていた孫瑜は、好条件での大学院進学のオファーを断り、大学を卒業するとニューヨークに行き、映画製作について全般的に学んで帰国します。一九二八年に上海長城画片公司に入り『瀟湘泪（別名・漁叉怪俠）』（一九二八年）という武俠映画の脚本と監督を担当し、上海映画界でデビューしました。中国人として初めてアメリカで映画製作を学んできた映画監督となったわけです。しかし、会社が倒産して民新影片公司に移籍します。そこでもう一作武俠映画の監督をしましたが、民新影片公司が聯華影業公司（以下、聯華）の設立に参加したことで、一九三〇年代上海の中国国産映画界に輝かしい実績を残すことになる聯華へ

▼4 程季華（森川和代編訳）『中国映画史』（平凡社、一九八七年）。原書は、程季華『中国電影発展史 第一巻・第二巻』（中国電影出版社、一九六三年）。

▼5 陳播（主編）『中国左翼電影運動』（中国電影出版社、一九九三年）。

と孫瑜自身も移籍することになりました。中国映画史に燦然と輝く一九三〇年代上海映画は、聯華の第一作『故都春夢（原題同じ）』（一九三〇年）から始まるとされてきたわけですが、この作品の監督が他ならぬ孫瑜でした。上海映画の黄金時代は、聯華と孫瑜で幕を開けたと言っても過言ではありません。この間の事情は、『ロアン・リンユィ阮玲玉（原題・阮玲玉）』（スタンリー・クワン監督、一九九一年）にも反映されています。

『故都春夢』はフィルムが現存していないため、どのような映像作りがなされていたのかを知るすべはないのですが、『野ばら（原題・野玫瑰）』（一九三二年）以降の孫瑜作品の多くは残されており、その映像を分析することが可能です。また、現存している孫瑜作品のほとんどが『中国映画史』[4]や『中国左翼映画運動』[5]といった中国共産党の観点から書かれた映画史の中で「左翼映画」として言及されているのも注目すべき点です。すでに述べたように、孫瑜の作品は「左翼映画」という言葉から連想されるようなリアリズムの観点からではなく、メロドラマ論の視点から論じた方が適当ではないかと考えられるわけですが、孫瑜と言えば一九三〇年代の上海で活躍した映画監督であり、「左翼映画」の作品を数多く生みだしたというイメージが定着していると言えます。そこには、孫瑜をそのように位置づけなければならないような事情が、共産党の映画史観にあったのではないか、ということが透けて見えてきます。その事情というのは、『故都春夢』に始まる孫瑜の一連の作品が、中国国産映画の製作を、一九二〇年代に主流だったものから技術的にも内容的にも近代化されたものへと変化させたという側面です。新しい時代を切り開いた映画監督を、左翼陣営として評価しておきたいという思惑が見えるわけです。

　では、一九二〇年代の中国国産映画というのは、どのようなものだったのでしょうか。『中国映画史』によれば、「鴛鴦胡蝶派」と呼ばれた才子佳人の物語や[6]「武侠妖怪映画」のたぐいが流行したこと[7]が分かります。やや大雑把なまとめ方をするならば、伝統的なイマジネーションに根ざした極めて通俗的な映像世界と言ってもいいでしょう。[8]こうした一九二〇年代の中国国産映画は、何百と製作されたと言われていますが、そのほとんどが失われて現在確認できるものは多くありません。その中で『紅い剣士（原題・紅侠）』（文逸民監督、一九二九年）のような映像を確認できる作品を見てみると、ストーリーはよくある仇討ちの話で、劇中に登場する女性たちが不必要なくらい肌の露出の多いコスチュームを身につけていることに気づかされます。人口に膾炙したお決まりのストーリーを人目をひく映像で表現したような作品になっているわけですが、現在的な視点から見れば、これはこれで楽しめる映画になっていると言うこともできそうです。しかし、当時の知識人の多くは、こうした作品をあまり快く思っていなかっ

▼6 程季華（森川和代編訳）『中国映画史』（平凡社、一九八七年）、四〇―四一頁。

▼7 程季華（森川和代編訳）『中国映画史』（平凡社、一九八七年）、六六―六七頁。

▼8 「伝統」とは何か、ということは大いに検討を要する問題ではありますが、ここでは行論の都合上、大雑把に古典小説や伝統演劇に根ざすものとして「伝統」という言葉を使用しています。

▼9 藤井省三『魯迅事典』（三省堂、二〇〇二年）、二四四―二四五頁。

たようです。一九二〇年代後半から上海に居住していた魯迅（一八八一―一九三六）は、ハリウッド製のターザン映画に足繁く通った一方で、国産映画について「極めて劣悪」「浅薄このうえなし」との評を残しています。▼9 魯迅がターザン映画を好んだように、一九二〇年代末の上海で上映される映画の大半はハリウッド映画であったと言われています。したがって、ハリウッド映画という外来の映画が幅をきかせ、残りのスペースに伝統的なイマジネーションに基づいた娯楽性の強い中国国産映画が食い込むような状況の中に、一九三〇年代の新しい映画が登場してくることになったわけです。

一九三〇年代上海に登場してきた新しい映画は、一九三一年の満州事変の影響を受けて左翼的な方向でまとまっていく傾向を持ち、抗日的な内容などの社会批判の性格を持ったいわゆる「左翼映画」の作品が増えていきます。主題歌「義勇軍行進曲」がのちの中華人民共和国国歌になる『嵐の中の若者たち（原題・風雲児女）』（許幸之監督、一九三五年）もその一例です。自分たちが身を置いている現実の問題をテーマとして社会批判の性格を持っていく過程で、伝統的なイマジネーションからの独立という性格を持つようになります。

こうした「左翼映画」の登場の状況は、一九六〇年代台湾に登場した「健康写実映画」の登場の仕方と類似した状況があるように思われます。「健康写実映画」の場合も、『薛平貴と王宝釧（原題・薛平貴与王宝釧）』（何基明監督、一九五六年）以来の歌仔戯《コアヒ》などの伝統芸能とも関わりの深い台湾語映画が大流行し、『梁山伯と祝英台（原題・梁山伯与祝英台）』（李翰祥監督、一九六三年）のような外来（香港）の映画が大人気を博すような状況の中で登場してきました。『梁山伯と祝英台』は外来のものであるだけでなく、黄梅調という伝統的なイマジネーションと結び付き、さらに中国語（北京語）映画であったということも特記に値する点です。「左翼映画」が伝統的なスタイルから一線を画しつつ中国国産映画としての地位を確立していったように、「健康写実映画」も伝統芸能に依拠して人気を博したスタイルから独立して台湾の当地で製作された映画としての位置を確立していくことになったわけです。一九二〇年代に製作された上海映画が長い間評価されず、そのフィルムがほとんど失われてしまったのと同じように、一九五〇年代の台湾語映画の多くが長らく重視されずに失われてしまったというところにも、共通点があると言えます。どちらも、ひとたびヒットを飛ばしたジャンルがあると多くの製作者がそれをまねて粗製濫造が起こり評価を下げたというところまで似ていますが、両者とも娯楽のために消費されるものとして映画が作られており、製作側も利益を最優先にして製作していたということが言えるでしょう。上海と台湾において、映画産業が発展していく過程で、まず伝統的な文芸や演劇・芸能に基づいた映画作りが先行し、その後に現在に目を向けた現代劇が続いて行くという類似の経過をたどったことは、上海映画と台湾映画の双方を論じる上で極めて示唆に富む現象であるように考えられます。いわば、ナショナルシネマが娯楽からハイカルチャーへと昇華する潮目の変化がはっきりと現れているわけで、そこで何が起こっていたのかに注目し考察することは重要でしょう。

三　描き込まれなかった都市と美化された農村、そして肉体美

前章までは、「左翼映画」と「健康写実映画」の登場してきた文脈の共通点について検討しました。次に検討したいのは、『海辺の女たち』や『あひるを飼う家』との共通点を持つように思われる一九三〇年代の孫瑜監督作品が、これまで漠然と「左翼映画」の文脈で語られてきたようなリアリズムの映像表現になっているのかという疑問点です。

孫瑜がアメリカ留学を経験していることはすでに述べたとおりですが、孫瑜は一時期英文で日記をつけていたことや、西洋の文学や芸術に通じていたことが知られています。当時としては非常に「モダン」な人物であったわけです。そうした人物ならば、当時中国でもっともモダンな都市であったと言ってもいい上海を映画の舞台に選ぶの

が、自然な流れのようにも思われます。ところが、孫瑜の映画ではモダンな上海はあまり描かれることはなく、描かれたとしても極めてステロタイプな描かれ方か、セットを使った庶民の住宅の室内劇が中心でした。その反面、農村や都市郊外はロケも含めて非常によく描かれ、しかも決まって美しく理想郷のような存在として登場します。それはおよそリアリズムとは評しがたい美しさを持っていました。

しかしながら、ただ孫瑜映画の農村表象は美しいと言うだけでは、本当にそうだったのかは分かりにくいところがあります。そこで、孫瑜の代表作である『おもちゃ（原題・小玩意）』（一九三三年）と、ほぼ同時期に製作され劇場公開された『春蚕（原題同じ）』（程歩高監督、一九三三年）の農村表象を比較してみたいと思います。『春蚕』は、ターザン映画を愛し中国国産映画をこき下ろした魯迅が高く評価したことで知られる作品です。▼10 のちに中華人民共和国の初代文化部長も務める茅盾（沈雁冰とも、一八九六—一九八一）の同名原作小説を忠実になぞるように映像化しています。『春蚕』は、近代的な製糸業の発展による世界的な絹糸価格の暴落が中国の農村に影響を与える様を描いた作品で、農民は勤勉ではあるものの迷信を信じやすく、社会の変化に翻弄される存在として描かれ、農村も美化されることもなければ極端に醜く描かれることもなく、淡々と描かれています。映画のカメラワークという面でも、この時代には珍しく長廻

▼10 三澤真美恵『「帝国」と「祖国」のはざま——植民地期台湾映画人の交渉と越境』（岩波書店、二〇一〇年）、一四三頁。

▼11 広播電影電視部電影局党史資料征集工作領導小組・中国電影芸術研究中心編『中国左翼電影運動』（中国電影出版社、一九九三年）、四四〇頁。

しが多用され、それもドキュメンタリー的な印象を見る者に与えます。相当に時代の先を行くような映像表現がされており、現在的な視点からも興味深い作品です。ドキュメンタリー的な映像作りに徹した抑制的な映像世界は、当時の映画評で「盛り上がりに欠ける」と評されているほどです。▼11 台湾で一九三〇年代の「左翼映画」をリアリズムであるというときの典型のような作品が『春蚕』であると言えます。

それに対して、『おもちゃ』では、創意工夫に満ちた玩具を生みだす若くて美しい主人公の女性が農村に暮らしていて、都会から金持ちのインテリがその女性を口説きに来るというようなシーンもあります。ちなみに、口説かれる主人公を演じるのは若くして自ら命を絶つことになる名優・阮玲玉（一九一〇―一九三五）で、孫瑜によって才能を見出された女優でした。また、主人公を口説くインテリを演じていたのは、後に国民党と一緒に台湾に渡り映画監督も務めた袁叢美（一九〇五―二〇〇五）でした。それはともかく、『おもちゃ』の農村シーンで印象的なのは、主人公が生みだしたかわいらしい玩具があふれる、やや中国離れしたビジュアルの住居の様子です。そして、そこに集う人々はみな仲良く楽しく暮らしているという様子が描かれていきます。まるで理想郷のような「農村」の様子が描かれているわけです。『おもちゃ』の農村表象と『春蚕』のそれを比較すると、『おもちゃ』の農村がいかに美化され理想化され

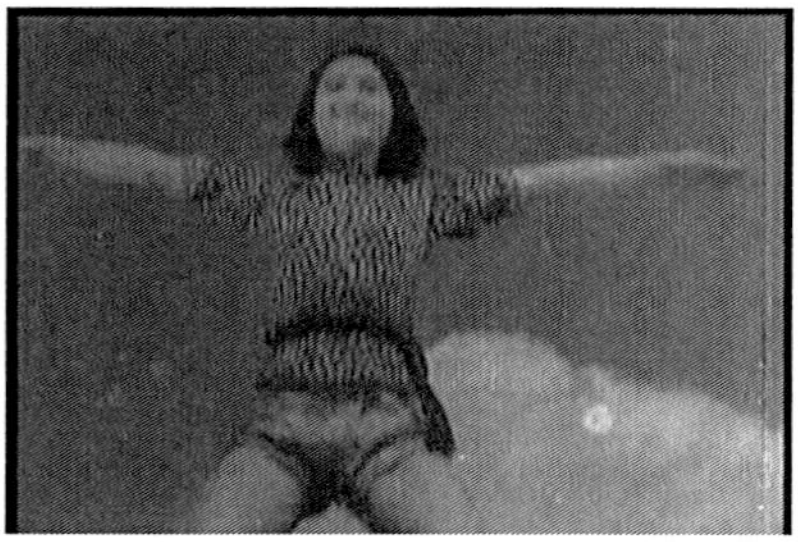

▼①『おもちゃ』の体操をする黎莉莉の仰角ショット

ているかがよく分かります。

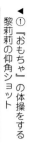

さらに、『おもちゃ』の農村表象で印象的なのは、ただでさえ理想化された農村の風景に、肌の露出の多い、健康的な肉体美を兼ね備えた若い女性が配されているところです。主人公の娘役を演じた黎莉莉（一九一五―二〇〇五）は出演当時一七歳で、溌剌として柔軟性のある健康的な肉体美を遺憾なく発揮しています。（①参照）一九二〇年代の中国国産映画に肌の露出の多い女性が登場していることはすでに述べたとおりですが、この黎莉莉の身体表象は一九二〇年代のものとは異なり、そのあふれんばかりの健康的なイメージによって、卑猥な印象はまったくなく、近代的な健康美・肉体美を体現していると言っていいでしょう。当時人気のあった『良友』などのグラビア雑誌を見ても、黎莉莉のような健康的な肉体美というのが、健全な文脈でしばしば取り上げられています。スポーツ選手が鍛え上げられた肉体を披露しているような写真も、よく掲載されていました。『おもちゃ』では、極めて近代的な身体性を持った人物が存在する場所として、農村が描かれていたということが言えます。

それに対する、『おもちゃ』における都市の描かれ方は、享楽にふけり、滑稽なまでに利己的で、弱者や国家の危機に何の関心も持たない人々が集まるような場所として、最終盤に少しだけ登場します。『おもちゃ』における農村と都市の描かれ方のコントラストは明確で、孫瑜が農村をいかに美しく描くかということに力を注いだかは明らかです。そこにははっきりと映画的な演出が加わっていると言うことができ、農村の現実をありのままに描こうというようなスタイルとは正反対の力が加わっていることは間違いありません。『おもちゃ』は、「左翼映画」と一括りにされた時に連想されるようなリアリズムの映像表現を持った作品では、まったくないのです。本来、上海映画とのちに台湾で展開された映画製作との関連を考えるときには、こうした「左翼映画」として曖昧に一括りにされてしまった作品たちの実際の表象について検討することも忘れてはならないでしょう。

一九三〇年代に製作された孫瑜監督のその他の作品にも、多かれ少なかれ、すでに述べたような理想化された農村表象と健康美を強調したような身体表象が見て取れます。いくつかの代表的な作品が具体的にどのような表現を持っているのかや、孫瑜がどうしてそのような表現を選択したのかという点については、後段で改めて検討することとして、「健康写実映画」における農村表象と身体表象について確認していきたいと思います。具体的には、『海辺の女たち』と『あひるを飼う家』について検討したいと思います。

まず、『海辺の女たち』においては、当然ながら農村というより漁村が描かれてい

◀②『海辺の女たち』の女性たちの喧嘩シーン

るわけですが、『春蚕』のような演出の少ない表現ではなく、明るい色調で牡蠣の養殖に従事する人たちの溌剌とした雰囲気が演出されていると言うことができるでしょう。冒頭の牡蠣とはいかなる生き物かを説明するシークエンスは、ドキュメンタリー的な雰囲気を出すための努力と見受けられますが、それに続くスタッフロールの背後に流れる映像では、漁民が笑顔で仕事に向かう様子が、時に主人公の笑顔のアップなどを交えつつ続き、現実の漁村の過酷な労働や困難を描くというよりは、漁村の美しさが強調されていることは間違いありません。まさに、「健康写実」たるゆえんという印象を受けます。スタッフロールが終わると、若い二人が岩場や砂浜で二人だけの時間を楽しむ様子が続きます。相思相愛のこの二人の関係が、この映画のドラマの駆動力になっていくわけですが、二人が楽しげに時間を過ごす様子には明らかな演出が感じられ、リアリズムという枠組みを超えたものを感じざるを得ないところがあります。『おもちゃ』に見られるような理想化とまでは言い切れないかもしれないものの、かなり美しく漁村を描いていることだけは間違いありません。また、身体表象で印象深いのは、主人公たち女性が作業の途中で喧嘩をするシーンです（②参照）。浅瀬の海水のある場所でつかみ合いの喧嘩をするという設定で、着衣が海水に濡れて肌が透けて見えるだけでなく、つかみ合いをする中で胸がはだけそうになったり、太ももがあ

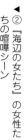

▲③『あひるを飼う家』のアヒルを追い立てて歩く逆光シーン

らわになったり、きわどいカットも含まれています。若い女性たちが激しくぶつかり合い動き回る映像には、健康的な身体の肉感を感じさせるものがあり、それは女性たちの健康美を存分に映し出していると言えます。『おもちゃ』と比較して異なる部分は、『海辺の女たち』は都市の表象を欠いている点が挙げられます。自動車を乗り回し主人公にしつこく言い寄る男や、彼らが行う賭博などが社会の暗黒面の一端を表現しているということができますが、それもあくまで漁村の中で処理されており、明確な都市というのは登場しません。とは言え、農村（漁村）と身体の表象においては、『海辺の女たち』と『おもちゃ』とは多くの共通点を持っていると考えていいでしょう。

次に、『あひるを飼う家』について見ていきます。冒頭に一幅の絵が示されて台湾におけるあひるの位置づけなど説明するナレーションが入るのは、『海辺の女たち』と共通するところですが、この絵が台湾の田舎の風景の美しさを存分に表していることが述べられていて、農村を美しく描いていくことが既定路線であることが理解できます。後半の親戚のところからあひるを追い立てて帰るシーンで使われている、夕日に向かってあひるとともに歩いて行く様を逆光で捉えるようなショットなどは、かなり意識的に農村を美しく表現しようという意図を感じます（③参照）。また、あひるの試験飼育が行われていることや、農業展示会の活気のある様などは、台湾農村の先進

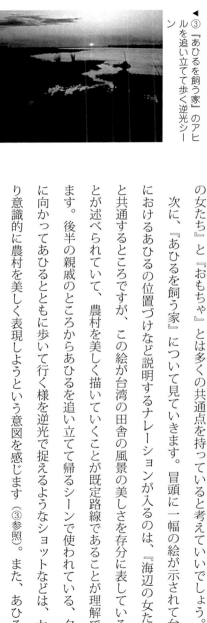

▼④『あひるを飼う家』のエンディングに見られる脚のアップ

▼⑤『野ばら』のエンディングに見られる脚のアップ

性を強調するような内容になっていることも見落とせません。身体性という面では、あまり健康美を強調したような映像は見られません。むしろ、主人公がとてもあひるの飼育をする人物が着るものとは思えないような、デザインのよいワンピースをいつも身につけていることに目が向きます。肉感を伴った健康的な身体というよりも、きれいな衣裳にパッケージされた女性が、農作業やあひるの飼育を行っている、そうした作業ができるということを描くことで、農村での労働が汗まみれ泥まみれのものではなく、すっかり近代化されたスマートなものであることが強調されているようで、興味深いところです。ラストシーンで家族三人が朝日に向かって歩いて行くシーンで、まず力強く歩をすすめる三人の脚がアップで撮られています（④参照）。この脚の撮り方は、孫瑜監督の『野ばら』のエンディングに酷似しています（⑤参照）。『野ばら』で特徴的なのは、主人公を演じる王人美（一九一四－一九八七）の脚による表現です。孫瑜監督に見出されて本作で銀幕デビューした王人美は当時一六歳、農村のシーンであひるなどの家畜をわざわざ脚で追い立てるシーンを入れて、王人美の脚線美が強調されています（⑥参照）。主人公は上海の御曹司について上海に出てくるのですが、あるパーティーの席で不慣れなストッキングがずり落ちてしまったのを人前で直すという失態を演じてしまい、農村出身という素性が暴かれてしまいます。農村にいた当時の

◀⑥『野ばら』の王人美がアヒルを脚で追い立てるシーン

健康的な素脚と、ストッキングを穿かされた脚の対比が、純朴な農村と複雑な都市のメタファーのようになっています。そして、さまざまな困難を乗りこえて、仲間たちと新たな一歩を踏み出すというエンディングのシーンで、『あひるを飼う家』のエンディングと酷似するショットが使われているのです。少し話がずれてしまいましたが、いずれにしても農村表象と身体表象において、『あひるを飼う家』と『おもちゃ』とでは、映像作りにおいて共通点があると言うことができます。農村の描き方ということでは、そもそも台湾の当時の農村に暮らす人々が、皆これほど完璧な国語を話していたのかという素朴な疑問点も、『海辺の女たち』『あひるを飼う家』両作品に共通するものとして確認しておく必要があるでしょう。

　多くの紙幅を割いて、『海辺の女たち』『あひるを飼う家』と『おもちゃ』との、農村表象と身体表象における類似点の指摘を行ってきましたが、この類似点から言えることは何かと言えば、リアリズムであると思われがちな「左翼映画」も、初期の「健康写実映画」も、実際のところ一律にリアリズムの作品群と評価するのは難しいということです。「左翼映画」をすべてリアリズムと決めつけるのは間違いであり、「健康写実映画」も「写実」を謳いながらもリアリズムとは言えない面を持っていて、結果的に両者は実は多くの共通点を持ち、それ故に両者の類似点をふまえてより深い考察が可能であるということになるわけです。物語構造的な分析は次章で行いますが、とりあえず農村表象と身体表象を見て言えることは、『海辺の女たち』『あひるを飼う家』も『おもちゃ』も、リアリズムと言うよりは、こうあって欲しい現実あるいは現実の理想状態を描き出している、それも都市ではなく農村に理想状態の可能性を見出しているという点です。

孫瑜は晩年に出版した自伝の中で、一九三〇年代の作品は、当時新聞でゴーリキーの革命的ロマンティシズムという言葉を目にしたことにインスパイアされて製作した、というようなことを述べています。[12] 中国では一九五〇年代後半から、革命的リアリズムと革命的ロマンティシズムの結合、いわゆる「両結合」という創作理論が大々的に喧伝されます。孫瑜の「革命的ロマンティシズム」という言葉を見ると、つい「両結合」のことが連想されます。孫瑜が自伝を書いたのは一九八〇年代で、文革中に批判に晒され自己批判を迫られるという経験をして書かれたもので、「両結合」のような考え方が自伝の書き方にも影響しているのでないかとも疑りたくなる面もあります。それと同時に、提唱当初から「健康」と「写実」は相容れないという批判もあった「健康写実映画」という言葉も、似たような言葉の構造を持っていることに気づかされます。「両結合」も「健康写実映画」も、現実を理想的な状態であると宣伝した

▼12 孫瑜『銀海泛舟』（上海、上海文芸出版社、一九八七年）七四頁。

い政治権力の意向も透けて見えてきます。政策的にスローガンを打ち出す側はリアリズムという言葉を使っていても、それを後から検討する場合には、スローガンの字面にとらわれず、実作をよく見て論じる必要があるのではないでしょうか。

しかし、孫瑜の作品も「健康写実映画」の初期作品もリアリズムではないとするなら、どのようにこれらの作品の共通点を考えていったらよいのでしょうか。その手がかりになるのがメロドラマであり、次章ではメロドラマの観点から一九三〇年代の孫瑜映画と初期の「健康写実映画」について分析していきます。

四　時空を越えて共通するメロドラマ的想像力

本章ではメロドラマの視点から一九三〇年代の上海映画と「健康写実映画」の共通点について検討していきますが、まずはここで言う「メロドラマ」とは何かということについてごく簡単に確認しておきたいと思います。メロドラマとは何かという問題に関しては、ピーター・ブルックスの『メロドラマ的想像力』[13]以来、相当な議論の蓄積があるわけですが、ここではもちろんメロドラマの本質的・存在論的な部分を議論することはせず、加えられた抑圧に対して最終的にカタルシスが得られるような物語をメロドラマとして考えていきたいと思います。お涙ちょうだいの安っぽいソープ

▼13　ピーター・ブルックス（四方田犬彦・木村慧子訳）『メロドラマ的想像力（原題・The melodramatic imagination : Balzac, Henry James, melodrama, and the mode of excess）』（産業図書株式会社、二〇〇二年）。

オペラという意味でメロドラマを使っているわけではない点に注意が必要です。メロドラマの特徴としては、ピーター・ブルックスの次のような言葉も参考になります。

メロドラマは明快な言語で何度も述べ、葛藤と闘いを詳しく物語り、悪の脅威と道徳の最終的な勝利が有効かつ自明であるとははっきり提示する。

聖なるものが喪われた時代に、本質的道徳を示し、機能させるための主要なモード…[14]

絶対的な価値観が失われた時代に、道徳的に優位に立つ主人公が、種々の抑圧に耐えて最終的な勝利を勝ち取りカタルシスが得られ、それと同時に何らかの価値観が観る側に刷り込まれていくようなものと考えることもできます。

さらに、加藤幹郎は、メロドラマ映画のヒロインに与えられるショットに関して次のように述べています。

顔のクローズアップ（その微視的表現）が、メロドラマ最大の主題である女性の受動性を浮き彫りにする。[15]

こうした点を参考に、孫瑜の一九三〇年代の映画と「健康写実映画」について検討してみます。

まず、すでにその農村表象と身体表象について検討した『おもちゃ』について見て

▼14 ピーター・ブルックス（四方田犬彦・木村慧子 訳）『メロドラマ的想像力』（産業図書株式会社、二〇〇二年）、三九頁。

▼15 加藤幹郎『映画のメロドラマ的想像力』（フィルムアート社、一九八八年）、三八頁。

▲⑦『おもちゃ』のラストシーンで指をさす阮玲玉

みます。すると、阮玲玉演じる主人公が、戦火によって村を追われ、息子を誘拐され、都市の郊外に移ってからはやはり戦火によって娘を失うといった過酷な運命に見舞われながら、最終的には発狂しながらも自らの思いをぶちまけ、かつて自分に思いを寄せていた男にも再会するというストーリーになっていて、メロドラマ的構成になっていると言えます。映像の面で目をひくのは、主人公である阮玲玉にはしばしば顔のクローズアップが与えられ、その喜怒哀楽、とりわけ「哀」の部分が強調されていることがあります。また、娘役の黎莉莉は健康的な身体を全体的に撮ったり、脚に寄せたショットが使われたり、阮玲玉との描かれ方の違いが見て取れます。すでに言及した農村表象は、黎莉莉の健康的な身体表象と相俟って、農村の美しさや健全さをことさらに強調し、その美しき農村や健康な身体が戦火によって失われてしまうというストーリーに一層の悲惨さを感じさせる効果を発揮しています。そしてラストシーンにおいて、阮玲玉が画面に指をさしながら何かを訴えるところは、サイレント映画で当然声は聞こえないにもかかわらず、明確に抗日のメッセージを叫んでいるかのような錯覚すら見るものに与える映像となっています（⑦参照）。メロドラマの持つメッセージ性ということでは、『おもちゃ』という作品は抗日のメッセージを強烈に発することに成功しており、その点が「左翼映画」として後々も認知される結果となって

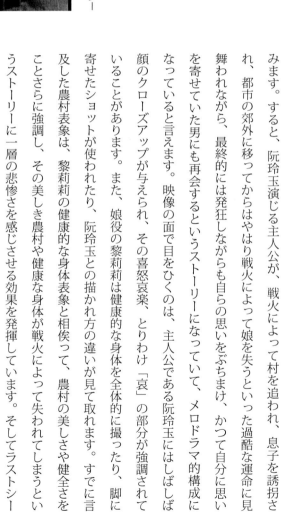

いると考えられます。「左翼映画」と認知されてはいても、リアリズムではなく、典型的なメロドラマ構造になっており、細かな映像の作り方もそれを支えるような役割をしっかりと担っているわけです。

こうしたメロドラマ的構成は、現在映像を確認できる一九三〇年代の孫瑜映画の大部分で確認することができます。例えば、『あひるを飼う家』のエンディングとの類似点を指摘した『野ばら』では、王人美演じる農村のお転婆娘が上海の富豪の御曹司に出会って上海にやって来て、生活の困窮や恋人の逮捕、別れなどの困難を乗りこえ、最終的には仲間が揃って義勇軍に参加していくというメロドラマになっています。農村表象や身体表象に関してはすでに指摘したとおりで、健康な身体を持つ主人公が、アプリオリに美しい農村からけがれの多い都市を経て、祖国のために起ち上がるという、農村・身体・メロドラマが一体となったスタイルが『野ばら』にも見てとれます。

ジョセフ・フォン・スタンバーグ監督『間諜X27（原題・Dishonored）』（一九三一年）との類似点も指摘される『夜明け（原題・天明）』（一九三三年）や、「義勇軍行進曲」の作曲者・聶耳が多くの劇中歌を提供している『大いなる路（原題・大路）』（一九三四年）にも、農村・身体・メロドラマという形式は見られると言えますが、いずれもメロドラマという観点からは少しイレギュラーなストーリーを持っていると言えるかもし

◀⑧『大いなる路』の全裸で水浴びする男たち

れません。劇中で最終的に主人公（たち）が命を落としてしまうことになるからです。しかし、『夜明け』ではかつての恋人が主人公の意志を継いで北伐に身を投じることになっており、『大いなる路』では日本軍機の空襲で死んだはずの仲間たちが再び起ち上がるというややファンタジーな展開を見せ、革命の運動は一人が倒れても後の者たちが切れ目なく続いて行くというメッセージがはっきりとくみ取れるようになっています。その意味で、最終的にカタルシスが得られるような展開になっているわけです。『夜明け』においては、上海で悲惨な目に遭う主人公が常に思いを寄せる美しい場所として農村が美化され、そこに主人公を演じる黎莉莉の健康的な脚を強調した身体性が組み合わされ、強い印象を残します。『大いなる路』では、鍛え上げられた肉体を誇る俳優たちが全裸で川で水浴びをするシーンなどもあり、身体性が強調されています（⑧参照）。両作のいくつかのシーン、例えば農村を背景に男女が愛を語る場面や、健康的な肉体を誇る人々が労働に従事する様子など、『海辺の女たち』や『あひるを飼う家』にも共通するような映像があり、それが最終的に強烈なメッセージを発するエンディングを導く上で重要な役割を果たしています。

さらに、孫瑜が自伝の中で好きな作品としてはっきりと言及している『第七天国（原題・7th Heaven）』（フランク・ボーゼイジ監督、一九二七年）そっくりなプロットを持つ『春

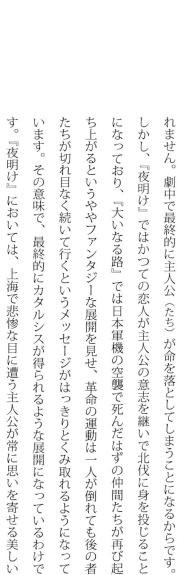

到人間（原題同じ）』（一九三七年）は、やはり主人公が奇跡的な復活を遂げるメロドラマになっています。カタルシスを得られる復活の場面がややファンタジーじみた感じになっている『夜明け』や『大いなる路』と比べると、『春到人間』では主人公が本当に死なずに生きて戻ってくることになっていて、より孫瑜お気に入りの『第七天国』の雰囲気に近いものになっていると言えます。『第七天国』同様に、非常に分かりやすいメロドラマです。いずれにしても、最初に検討した『おもちゃ』のみならず、いわゆる「左翼映画」の中のひとつの大きな流れとして、孫瑜のメロドラマがあったということが言えるわけです。

ここで、「健康写実映画」の『海辺の女たち』『あひるを飼う家』について見てみると、二作ともにメロドラマ構造を持っていることは明白でしょう。『海辺の女たち』では、王莫愁（一九四一―）演じる主人公の女性が、武家麒（一九三六―二〇〇八）演じる恋人と、彼が漁船に乗って稼ぎに出て留守がちなことや酒に溺れ強欲な父親の存在もあってなかなか結婚できない状況の中、主人公に思いを寄せる歐威（一九三七―一九七三）演じるチンピラにからまれたり、父親の賭けのカタにされたり、密かに結ばれて身ごもり出産する際に実家を追い出されたりという苦難を経て、最終的には無事に出産もし、恋人も戻ってくるという分かりやすいメロドラマになっています。もちろん、一九三〇年代の孫瑜映画に見られるような抗日戦に起ち上がろうというような大上段に構えたメッセージ性はありませんが、クルマを乗り回し主人公に執拗にからむチンピラが後半で逮捕されるシーンが入ったり、医者や牡蠣の研究者のような知識があり善良な性格を持った人たちが主人公を常に助け、それがハッピーエンドにつながったりすることから、知識や技術の推奨や堅実な生き方への肯定など、まさに真善美といった美徳を強調する構造になっていると言えます。主人公が苦労の末に無事子供を出産するというのも、見るものにカタルシスを与えるプロットと言えそうです。漁村の人々がことごとく大陸から来た人たちかのごとくきれいな国語を話すところには違和感もありますが、時代的な背景を考えるならば、「美しい農村・漁村にしっかりと根ざして堅実に暮らしていれば、明るい未来が必ず訪れる」というメッセージが含まれていると理解することはそれほど困難ではありません。

次に、『あひるを飼う家』について確認していきます。葛香亭（一九一六―二〇一〇）の演じる「父」は、唐寶雲（一九四四―一九九九）演じる「娘」とあひるを育てて仲良く暮らしていましたが、「娘」が実はかつての隣人の子供であり、歐威演じる実の兄が、家族の秘密をたてに「父」をゆするというのが基本的な流れです。すでに述べたように農村の風景は美しいし、そこに溌剌と生きる女性の姿もすがすがしい印象を与えます。また、「父」はあひるの品種改良に積極的に応じ、非常に開明的な人物として描かれています。一見理想的な家族に見えるところに、邪魔者がやって来て、父娘を不安で不快な状態に追い込んでいくわけです。最終的には、実は血のつながりのない父娘が、すべての秘密を知った上で、新たな家族として将来に進んでいくというシーンで終わります。そのラストシーンが、父と兄、そして血のつながりのない娘で、力強く朝日に向かって歩くシーンなわけです。この三人が歩くシーンが、孫瑜の『野ばら』に酷似しているのは、すでに指摘したとおりです。抑圧からカタルシスへという物語の構造がはっきりしていて、この作品をメロドラマとするのに疑問を持つ人はいないでしょう。

欧威は両方の作品に出演していますが、どちらの作品でも主人公たちにストレスを与え続ける演出上非常に重要な役割を好演していて印象に残ります。『あひるを飼う家』で欧威が演じる実の兄は、歌仔戯の一座に従っていて、そこの女優といい仲になっています。当時台湾の映画市場を席巻していた台湾語映画とも関係の深い歌仔戯を厄介者扱いするような文脈で描いているとも言えます。一方で、科学的な農畜産業を称揚するようなシーンが多く含まれていて、その文脈に主人公が位置づけられています。主人公側を先進的な存在とするなら、歌仔戯をやっている兄は遅れた存在とも理解できるわけです。また、血のつながっている兄がいるけれども、血のつながっていない親に育てられたという娘の設定には、台湾と中国、日本をめぐる歴史的な展開を絡ませているようにも理解できなくはないと考えられるのです。

いずれにしても、本章で確認してきたように、一九三〇年代の孫瑜の作品と「健康写実映画」最初期の代表作には、時空を超えたメロドラマ的想像力のつながりが存在すると言えそうです。一九四九年の中華人民共和国建国後すぐ、孫瑜は『武訓伝』という作品を監督します。この作品は不幸なことに、新中国建国後最初の毛沢東から名指しで批判された映画となってしまいました。毛沢東の批判は政治的な都合から行われた面が強く、『武訓伝』批判は多分に冤罪のきらいがあるわけですが、ここでは『武訓伝』批判の善し悪しはともかく、その批判によって孫瑜が一九三〇年代に築いたようなメロドラマ的想像力の世界は、中華人民共和国では抹殺されていく道をたどるということを確認せねばなりません。そうしてみると、一九六〇年代の台湾に現れた「健康写実映画」というシリーズは、黄金時代と呼ばれた一九三〇年代の上海映画のイマジネーションの一部が遷移してきたものとも考えられるのです。いったんリアリズムという思い込みをはずして考えてみれば、あまり関係がないと考えられていたものが、実は近しい関係にあるということが見えてくるわけです。

五　メロドラマとアイデンティティ

ここまでは、農村・身体・メロドラマという切り口から、一九三〇年代の孫瑜作品と「健康写実映画」最初期の名作二作が、同じようなイマジネーションをもっているということを考察してきました。しかしながら、この似たところのある両者について、実際に上海から台湾への影響関係が存在するのかということは、なかなか証明が難しいところがあるというのが実際です。丁寧に人的つながりを追ったり、関係者の証言や自伝などを読み込んでいったりすれば、或いは何らかのはっきりした関係性が示せるのかもしれません。例えば、『海辺の女たち』『あひるを飼う家』の監督の李行（一九三〇―）は上海に生まれ、蘇州で大学生活を送っており、『田舎町の春（原題・小城之春）』（文華影業公司製作、費穆監督、一九四八年）や一九四〇年代後半に左翼系の映画人が集まり名作を残した崑崙影業公司の作品が好きだったとも述べており[16]、知らないうちに影響を受けていたと言えるのかもしれません。ただ、現段階では、「健康写実映画」に関係した人々がどのような人や芸術的なイマジネーションに影響を受けて創作を行っていたのかといったことを同定していくような、緻密な作業はできていないのが実情です。そうしたつながりについて何らかのことを示せれば、それはそれで映

▼16　兪嬋衢（整理）「時代的断章――『一九六〇年代台湾健康写実影片之意涵』座談会」（『電影欣賞』第十二巻第六期、一九九四年）、二〇頁。

画史的には意味のあることですが、まだ作業半ばの状態であり、ここでは別の角度からの一九三〇年代上海映画と「健康写実映画」に向けた考察をしてみたいと思います。

その考察のポイントはメロドラマとアイデンティティです。メロドラマが何か明確な価値観を盛り込んでゆくことはすでに述べましたが、そのメロドラマに載せられたものとして、アイデンティティというものが共通してあるのではないかと考えるわけです。そう考えるのには、すでに別稿でも引用しましたが、次のような文章に出会ったことが理由としてあります。

そして不可解ではあるが、彼はまた苦力等をさける外国婦人たちに反感を持つとともに、半裸体の苦力や乞食どもに激しい嫌悪のこみあげてくるのを感じて、心の中で熱烈に叫んだ。[17]

これはパール・バックの『大地』で、王竜の孫・王淵が六年ぶりにアメリカから帰国し、中国人苦力と外国人の様子を目にして述べた一節です。この一節について、三浦雅士は次のように述べています。

淵は、いってみれば二重の視線を持っているのだ。中国人の視線とアメリカ人の視線の二つを。彼は見るものであると同時に見られるものであるという苦渋にうちひしがれている。[18]

▼17 パール・バック（新居格訳）『大地（四）』（新潮社、一九五四年）、一七〇頁。旧字体を新字体に改めて引用しています。なお、三浦雅士は当該箇所を「まことに奇妙なことだが、苦力を避ける外国婦人たちに反感を持つ一方、半裸の苦力や乞食どもにも激しい嫌悪がこみ上げてくるのを感じ」と引用していますが、出典は不明です。なお、パール・バック（小野寺健訳）『大地（四）』（岩波書店、一九九七年）では、王淵が「王元」とされています。

▼18 三浦雅士『身体の零度　何が近代を成立させたか』（講談社、一九九四年）、八一頁。

これに続いて、こうした苦渋は、内村鑑三や有島武郎、高村光太郎などの日本からの留学生も同様に感じたことだろう、と述べています。すでに考察したように、孫瑜の実作をつぶさに見ていくと、一九三〇年代の孫瑜作品には、ここで三浦が指摘しているような「二重の視線」を持っていたのではないかということが見てとれます。自分の生活や創作の基盤となっている上海という都会ではなく、農村を過剰とも言えるほど美化して描き込んでいる点からは、西洋人や西洋文化が大手を振って幅をきかせている一方、本物になりきれない中途半端な西洋の模倣もはびこっているような現実の大都会ではなく、もちろん様々な問題に疲弊しきっている現実の農村でもなく、想像上の理想化された農村に可能性を見つけようという発想が見てとれるわけです。いったん外から祖国を見る視点を持ってしまうと、西洋そのものではなく、あくまで西洋化されたにすぎない上海のような大都市には自分の居場所を見つけることができず、都市の外の地域に理想的な世界を作り上げようとしているかのように映ります。孫瑜映画の中で農村に存在する健康な肉体を持った若者が、概して中国のものとも西洋のものとも判断がつかないような簡素な衣服を身につけている点は、何ものにも染まらない農村の純粋さを表すものになっていると言ってもよいでしょう。映画の中では、農村の出身者が中国を変革させるための活動に身を投じていく様が繰り返し描かれますが、そうした映像表現や物語構造からは、孫瑜自身が西洋文明の手が届いていないようなまっさらな農村に根ざして、自分のアイデンティティを確立しようともがいているようにも見えるのです。そして、メロドラマ的なエンディングには、アイデンティティの確立にもがきながらも、最終的には考えを同じくする人々と新しい中国社会を目指して起ち上がるという希望が示されているとも言えるわけです。

このように考えてみると、一九三〇年代の孫瑜映画と共通点を持つ『海辺の女たち』や『あひるを飼う家』にも、同じようなアイデンティティの確立という隠されたテーマがあるとは考えられないでしょうか。著しく欠如する都市の表象、言語の問題ひとつ取っても明らかに現実とはかけ離れている農村の表象、そして「再生」の意味合いも読み取れるような新たな生命の誕生や新たな家族の形が登場するエンディング、いずれも何か無垢なものに理想を託して生まれ変わりたいというようなメッセージを読み取ることができるわけです。「健康写実映画」が他ならぬ国語映画として登場してきていることを考えれば、それは間違いなく大陸からやって来た人たちが、台湾の美しい国土を新たなふるさととして、自らのアイデンティティを再構築していこうということにつながって来るはずです。現実の都市には日本統治時代の面影がはっきりと残り、人々の話す言葉も大陸とは違い、大陸からやって来た人々にとっては、留学から帰った孫瑜が上海を見て感じたであろうものと似通った、都市に対する違和感のようなものがあったに違いありません。そうした中では、なぜか村じゅうの人がきれいな北京語を話す美しい農村に思いを託し、たとえ幾多の苦労を経験してでも、やがては今生活している場所を自分の住むべき土地として再生の時を迎えたい。そのようなアイデンティティ確立のメロドラマになっていると考えられるのです。

六 おわりに

一九三〇年代上海の孫瑜映画も、一九六〇年代台湾の「健康写実映画」も、土着の伝統的なイマジネーションに基づく娯楽的な映画作品が一世を風靡した後に登場してきたことは、すでに述べました。映画というメディア自体、非常にモダンなメディアであったと言うことができますが、そのような西洋的なイメージのメディアを使って伝統的なイマジネーションとつながるような映像を作ることは、庶民が娯楽として消費するためのものを作るという感じで、一段低い存在として扱われてしまわれがちなのは、やむを得ない面もありました。孫瑜の映画も「健康写実映画」も、その時代の映画を娯楽からハイカルチャーなものへと変えるような役割を担わされていたと言うことができます。やや低俗なものから高級なものへという潮目の変化は、映画の発展史観で見ると当然のことのようにも見えてしまいます。

しかし、今まで述べてきたように、その変化は低俗なものが行き渡ったところで高級なものが出てきたというような表面的なものではないと考えられます。本稿では詳しく論じることはできませんでしたが、一九二〇年代の国産映画や一九五〇年代以来の台湾語映画においても、メロドラマ形式の作品はあったわけですが、それが新しいものと認知されなかったのは、メロドラマが載せている価値観にあったのではないかと思います。孫瑜映画や「健康写実映画」は、アイデンティティに関わるものを最終的な価値観として強調するような物語構造や映像表現になっていることで、それまでと違うという印象を見るものに与えることができた、少なくとも何かが変わったと思わせる原因のひとつになった、と言えます。いまさら「想像の共同体」などという言葉を持ち出すのも少し気恥ずかしい気はしますが、メロドラマが引き起こす感情の起伏の中に、ナショナルな価値観が刷り込まれているところに、本稿で検討してきた映画作品の「新しさ」があったのではないかと考えられるわけです。

これまでの研究では上海映画の製作史の文脈で孫瑜映画におけるアイデンティティの問題を考えてきましたが、台湾の映画史においても似通った現象があることを確認することで、それぞれの映画作品の持つアイデンティティの問題について相互参照しながら考えを確認することができたように思います。上海映画の歴史から台湾映画の変遷にスポットを当てる試みが、台湾映画の変化から上海映画の問題が逆照射されるような結果につながったと言えるのかもしれません。

※本稿は、平成三〇年度慶應義塾学事振興資金「「両岸三地」における映画製作の一九三〇年代上海映画からの影響関係について」(個人研究)による研究成果の一部である。

執筆者紹介

氷上　正（ひかみ・ただし）

1953年生、慶應義塾大学総合政策学部教授
1987年、東京都立大学人文研究科中国文学専攻博士課程、修士（文学）
専門は、中国古典小説、中国伝統芸能
主要著作：『中国の禁書』（共訳、新潮社、1994年）、『性愛の中国史』（共訳、徳間書店、2000年）、『インテンシブ中国語—集中型中国語講座』（共著、東方書店、2000年）、「北京における相声の現状についての一考察」（『近現代中国の芸能と社会—皮影戲・京劇・説唱』所収、好文出版、2013年）

山下　一夫（やました・かずお）

1971年生、慶應義塾大学理工学部准教授
1999年、慶應義塾大学大学院文学研究科中国文学専攻後期博士課程、修士（文学）
専門は、中華圏の通俗文学・宗教信仰・大衆文化
主要著作：「王屋山と無生老母」（『道教の聖地と地方神』所収、東方書店、2016年）、『明清以來通俗小説資料彙編第一輯』（共編、博揚文化事業有限公司、2016年）、『全訳封神演義』（共訳、勉誠出版、2017年-2018年）、『地方戲曲和皮影戲』（共編、博揚文化事業有限公司、2018年）

千田　大介（ちだ・だいすけ）

1968年生、慶應義塾大学経済学部教授
1999年、早稲田大学大学院文学研究科中国文学専攻博士課程、修士（文学）
専門は、中国通俗歴史物語の変遷と受容、中国学情報処理
主要著作：「乾隆期の観劇と小説～歴史物語の受容に関する試論～」（『中国文学研究』第二十四期、1998年）、「北京西派皮影戲錫慶班をめぐって——北京・冀中・冀東皮影戲形成史考」（『中国都市芸能研究』第16輯、2018年）、『電脳中国学入門』（共著、好文出版、2012年）

吉川　龍生（よしかわ・たつお）

1976年生、慶應義塾大学経済学部准教授
2005年、慶應義塾大学大学院文学研究科中国文学専攻後期博士課程、修士（文学）
専門は、中国映画史・中国近現代文学
主要著作：「孫瑜映画のモダニティ——『おもちゃ』をめぐる、農村・女性・メロドラマ」（『近代中国 その表象と現実』所収、平凡社、2016年）、『蟻族』（共訳、勉誠出版、2010年）

台湾ローカル文化と中華文化

2018年11月27日　初版第1刷発行

著　者　氷上正、山下一夫、千田大介、吉川龍生
発行者　尾方敏裕
発行所　株式会社好文出版
〒162-0041
東京都新宿区早稲田鶴巻町540　林ビル3F
TEL:03-5273-2739　FAX:03-5273-2740
http://www.kohbun.co.jp/
デザイン・DTP　電脳瓦崗寨（http://wagang.econ.hc.keio.ac.jp/）

Printed in Japan　ISBN978-4-87220-217-5